OP DOOD SPOOR

Van Jan van Reenen verschenen eerder:

Buurtschap in beweging
De weg naar het hart

Jan van Reenen

Op dood spoor

Citerreeks

© 2007 Citerreeks, Kampen
Omslagillustratie: Jack Staller
Omslagontwerp: Van Soelen, Zwaag

ISBN 978 90 5977 247 2
NUR 344

www.citerreeks.nl

I

Het is ver na middernacht. Een heldere maan verlicht het zandpad dat naar de boerderij aan de rand van het bos voert, en werpt tussen de bomen door een grillig patroon van schaduwen op het zand. De bewoners van de boerderij slapen. De boer en de boerin hebben tot twaalf uur op hun zoon gewacht. Toen die niet op tijd thuiskwam, zijn ze naar bed gegaan, omdat ze morgen, zondag, op tijd in de kerk willen zijn en voor die tijd de koeien gemolken moeten zijn.

De stilte van de nacht wordt verstoord door het geluid van een auto die hard komt aanrijden en met grote vaart de oprijlaan naar de boerderij in rijdt. De auto stopt op het laatste moment vlak voor de boerderij, en even later wordt een portier geopend. Een jongeman stapt uit, schreeuwt drie keer achter elkaar: 'Tot morgen' en loopt daarna naar de achterdeur van de boerderij. Hij draait zich om om te kijken hoe de auto wegrijdt. Die draait vol gas op het erf, rijdt even achteruit en vliegt dan met een schok vooruit.

De jongeman loopt het huis binnen, knalt een paar deuren met veel geweld achter zich dicht en laat een harde boer, allemaal luid genoeg om de bewoners van het huis duidelijk te maken dat hij er weer is. Met resultaat, want wanneer hij zuchtend in de woonkamer op een stoel is gaan zitten om zijn schoenen uit te doen, wordt de deur met een ruk geopend, en verschijnt een man van even in de vijftig in pyjama in de deuropening. 'Wat is hier aan de hand?', vraagt hij.

'Aan de hand? Aan mijn voet, bedoel je. Aan mijn voet zit mijn schoen, haha.'

'Waarom maak je zo veel lawaai?'

'Ik, maak ik lawaai? Houd even op zeg. Ik kom hier net aanlopen en dan zeggen ze dat ik lawaai maak. Ik ben hier nog maar net. Houd op zeg.'

'Gert, ik wil niet dat je zo tegen me praat. Ik ben je vader, en je moet je ouders respecteren. Maar wat ik nog erger vind ...'

'Nou dat weer. Respecteer ik u niet, meneer ...?'

'Ik vind het nog erger dat je de dag des Heeren, de zondag, niet respecteert. Het is al ver over twaalven wanneer meneer met veel lawaai thuiskomt. Je begrijpt toch dat het zondag is?'

'Ik begrijp alles. Ik begrijp dat het zondag is en ik begrijp dat ik veel lawaai maak. Het enige wat ik niet begrijp, is waar jij je mee bemoeit.'

De man in pyjama doet zichtbaar moeite om rustig te blijven. Hij hapt een keer naar adem, wordt rood in zijn gezicht en balt zijn handen tot vuisten. Even wacht hij totdat hij zichzelf onder controle heeft en dan zegt hij: 'Gert, ik wil niet dat jij zo praat. Ik ben je vader, en je hebt je ouders te gehoorzamen. Dat staat in het vijfde gebod. Dat is niet mijn wet, maar de wet van God. Ik wil ook niet dat je zo veel drinkt en dat je thuiskomt wanneer het al zondag is. Dan kun je straks toch niet in de kerk zitten?'

Zijn zoon reageert meteen. 'Als je liever hebt dat ik niet naar de kerk ga, blijf ik wel thuis. Geen probleem.'

'Gert, je weet heel goed wat ik bedoel. Houd op met dat gedoe.'

Nu wordt Gert driftig. Hij staat op en richt zich in zijn volle lengte op tot vlak voor zijn vader. Hij steekt een decimeter boven hem uit. De jongeman kijkt zijn vader recht in de ogen en zegt met nadruk op ieder woord: 'Houdt u er rekening mee dat ik achttien ben en dat ik recht heb op mijn eigen leven?'

Zijn vader kijkt, slaat zijn ogen niet neer en zegt op even besliste toon: 'Houd jij er rekening mee dat ik je vader ben en dat ik recht heb op gehoorzaamheid? Zo staat het in de Bijbel.' Er trekt een vlaag van walging over zijn gezicht, en hij gaat iets naar achteren, omdat hij misselijk wordt van de dranklucht die uit de mond van Gert komt. Het maakt hem echter nog bozer dan hij al is. De spieren van zijn handen spannen zich, en zijn ene voet komt een halve stap naar voren. Op het laatste moment weet hij zich te beheersen.

Gert blijft rustig tegenover hem staan, met de handen in de zakken en de ogen recht op zijn vader gericht.

De krachtmeting duurt een paar seconden, en wanneer de zoon zijn ogen dan niet neerslaat, kan de vader zich niet langer beheersen. Zijn gebalde vuist gaat voor het gezicht van zijn zoon langs, en hij roept harder dan nodig is: 'Het moet nu eens afgelopen zijn met dat cafébezoek! Het gaat van kwaad tot erger. Je komt steeds later thuis en je trekt je van God noch gebod meer iets aan. Het is een schande! 's Zondagsmorgens zit meneer te slapen in de kerk, de hele middag ligt hij op zijn nest en 's zondagsavonds slaapt hij in de kerk verder. Dat moet eens uit zijn! Als dat gedrag niet verandert, doe ik in het vervolg de deur op slot, en kom je er niet meer in. Dan moet je zelf maar zien waar je slaapt.'

Die laatste woorden komen er zo hard uit dat Gert onwillekeurig een stap naar achteren doet. Zijn vader doet een stap naar voren en houdt zijn gebalde vuist dreigend voor de ogen van zijn zoon.

Gert zegt niets, maar slaat zijn ogen ook niet neer.

'Nou, kunnen we iets afspreken?'

'Houd je mond, man', zegt Gert.

'Ik vroeg je iets.'

Gert gaat niet verder achteruit. Integendeel, zijn hoofd komt naar voren, tot vlak bij het gezicht van zijn vader, en hij ademt expres in diens gezicht terwijl hij zegt: 'Houd je kop, man, en doe normaal. Ik spreek niks af. Ik ben achttien jaar. Je mag blij zijn dat ik elke zondag in de kerk kom. Als ik jou was, zou ik me heel rustig houden en geen enkele keer meer met die hand zwaaien. Voordat je het weet, pak ik hem vast en dan zou het wel eens kunnen zijn dat je vlugger op de grond ligt dan je denkt.'

'Jij bent hier de baas niet', schreeuwt zijn vader, nu keihard.

'Als meneer denkt dat ik bang voor hem ben, heeft meneer het mis. Ik heb dan misschien wel een paar flesjes bier op, maar denk nou niet dat ik daardoor geen kracht meer heb. Als ik jou was, zou ik met mijn poten van me afblijven.' Om zijn woorden kracht bij te zetten zwaait hij met zijn rechtervuist rakelings langs het gezicht van zijn vader.

'Houd op', roept die. 'Als je dat nog één keer doet, pak ik die vuist vast, en dan zullen we nog wel eens zien wie hier de sterkste is. Ik hoef me in mijn eigen huis niet te laten treiteren door een vent met zo'n bezopen kop.'

Gert kijkt dreigend wanneer hij die woorden hoort en zwaait nog een keer met zijn vuist.

Dan wordt hun aandacht afgeleid door de kamerdeur die opengaat. De moeder van Gert komt met een verschrikt gezicht in haar lange nachtjapon de kamer binnen. Ze had blijkbaar lawaai gehoord en ziet nu dat er iets niet goed gaat. Ze neemt een paar snelle stappen tot bij het tweetal, duwt met haar rechterhand haar man achteruit en strekt haar linkerhand uit naar haar zoon.

'Houdt dat dan nooit op? Het is elke zaterdagavond hetzelfde liedje. Hier gebeuren nog eens ongelukken.'

'Mens, maak je niet druk.'

'Wat is er aan de hand?', vraagt ze met trillende stem.

'Het is hetzelfde verhaal als altijd: meneer komt veel te
laat thuis en heeft weer eens een grote mond. Dat moet
eens een keer afgelopen zijn.' Opnieuw komt vader een
stap dichterbij, de arm van zijn vrouw negerend.

Gert laat zich niet intimideren en gaat geen stap terug.

'Weten jullie wel dat het al zondag is, de dag des Heeren? En dan gaan ruziemaken ... Het is verschrikkelijk ...
Weten jullie wel wat de zondag betekent?'

'Ik maak geen ruzie', bromt Gert, die iets bijtrekt. 'Dat
doet hij.'

'Gert, jij maakt ruzie door te laat thuis te komen en te
veel bier te drinken. Het is toch gewoon verschrikkelijk.'

'Wie maakt hier uit wat te laat is en wat te veel bier is?
Heb jij daarvoor een aanstelling?'

'Dat maakt God uit', zegt zijn moeder beslist. 'Het zijn
de wetten van God, die wij moeten gehoorzamen.'

'Jullie regels, zul je bedoelen.'

'Nee, wetten. Je overtreedt mijn regels niet, maar je
overtreedt de geboden des Heeren, en dat is zo erg. Op zaterdagavond drink je te veel en je komt in de nacht van zaterdag op zondag thuis', zegt vader, iets gekalmeerd door
de aanwezigheid van zijn vrouw.

'Gert,' zegt zijn moeder, terwijl ze een stap achteruit
doet, met trillende stem, 'waarom doe je ons zo veel verdriet? Je weet toch dat je voor de zondag moet thuiskomen
en dat wij liever niet hebben dat je naar het café gaat?'

'Jullie standpunten zijn totaal verouderd', zegt Gert, die
door de woorden van zijn moeder iets kalmeert. 'Negentig
procent van de Nederlandse jeugd doet zoals ik en gaat in

het weekend gezellig stappen. Dacht je werkelijk dat al die anderen het verkeerd doen en dat alleen jullie het maar bij het rechte eind hebben? Bovendien ben ik achttien jaar, en dan ben je volgens de Nederlandse wet volwassen. Ik heb gewoon recht op mijn eigen leven. Als ik jullie was, zou ik er vanaf nu nooit meer iets van zeggen. Gebeurt dat wel, dan ...'

'Gert, Gert, zo moet je niet praten', zegt zijn moeder met zachte stem. 'Je doet er de Heere verdriet mee.'

'Ik vind dat we wel weer genoeg gepraat hebben. Laat me naar bed gaan.'

'Hij moet eerst beloven dat hij niet meer zo laat thuiskomt zaterdagnacht', zegt zijn vader, die nu weer luider praat dan daarnet.

'Laat me erdoor!', beveelt Gert.

Zijn vader posteert zich voor de haldeur. 'Je komt hier niet door voordat je beloofd hebt dat je niet meer zo laat thuis zult komen.'

'Man, denk je werkelijk dat je nog iets over mij te vertellen hebt? Je kunt, wat mij betreft, doodvallen.'

'Gert!', gilt zijn moeder.

'Mens, houd je kop.'

'Gert, praat niet zo. Je kunt niet alles zeggen.'

'Hij ook niet.'

'En nu wil ik dat je ophoudt met zulke dingen te zeggen in ons huis. Het is gewoon verschrikkelijk wat jij allemaal durft. Denk je er helemaal niet over na dat je eenmaal voor God rekenschap moet afleggen van de dingen die je zegt?'

'Als ik jullie was, zou ik er zelf eens goed over nadenken. Jullie kunnen niet zomaar alles tegen je kinderen zeggen. Misschien kon dat honderd jaar geleden wel, maar de tijden zijn veranderd. Als ik jullie was, zou ik daar rekening mee houden. En houd nu eens op met dat gezanik. Ik wil naar bed, want het is morgen weer vroeg dag.'

'Je komt hier niet langs voordat je beloofd hebt dat je in het vervolg niet meer zo laat thuis zult komen.'

'Beveel je hondje en blaf zelf, man, en ga aan de kant.'

'Gert, ik wil niet dat je zo spreekt tegen je vader. Bah, wat stink je uit je mond', zegt zijn moeder emotioneel. Haar stem beeft, en haar gezicht heeft rode vlekken. Het lijkt erop dat ze ieder ogenblik kan gaan huilen.

'Ach, mens, je weet niet wat je zegt.'

'Gert,' klinkt nu de stem van vader, 'ik wil niet dat je zulke dingen van je moeder zegt.'

'Laat me erlangs', beveelt Gert met harde stem, terwijl hij een stap naar voren doet en zijn vader dreigend aankijkt.

Die blijft pal voor de deur staan en gaat geen centimeter aan de kant.

Gert is niet van plan zich door hem te laten gezeggen en wil zijn vader beetpakken. Dan wordt het Gerts moeder te veel. Haar stem slaat over en ze begint tegen Gert te gillen: 'Houd op, houd op, niet doen!' Daarna schreeuwt ze tegen haar man: 'Ga daarvandaan en laat dat jong erdoor! Straks slaan jullie elkaar de hersens nog in en dan zijn jullie moordenaars.'

Omdat ze niet reageren en als kemphanen tegenover elkaar blijven staan, pakt zij haar man bij een arm en begint uit alle macht aan hem te sjorren.

Eerst probeert hij haar van zich af te schudden, maar als zij blijft vasthouden, laat hij zich bij de deur wegtrekken en geeft hij Gert de kans om erlangs te komen.

Die doet snel de deur open, glipt erdoor en verdwijnt. Even later horen ze de deur van zijn kamer hard dichtslaan, en daarna klinkt de dreunende bas van een voluit geopende versterker keihard door de nacht.

'Ik zal hem! Ik ga naar boven', roept vader met harde stem terwijl hij naar de deur loopt. Hij heeft echter buiten zijn vrouw gerekend, die zijn arm vastheeft en hem niet laat gaan.

'Niet doen!', roept ze.

Hij komt wel bij de deur, maar wanneer zij hem dan nog niet loslaat, bedenkt hij zich en richt hij zich tot zijn vrouw: 'Waarom doe je zo dwaas? Als dat jong nu niet toegeeft, zal hij het nooit meer doen. Je merkte zelf hoe verkeerd hij doet. Als we het nu opgeven, wordt het alleen maar erger. Straks komt hij nog later thuis en gaat hij helemaal niet meer naar de kerk op zondag, net als zo veel andere jongeren. Moet je eens horen, wat een lawaai. Hij doet het allemaal om ons te sarren. Het is schandalig. Dat jong gaat helemaal het verkeerde pad op.'

'Man, begrijp je niet dat je op zulke momenten niet met hem kunt praten?'

'Anders zeker wel? Laat me niet lachen. Je kunt nooit met Gert praten. Je kunt niet met hem praten wanneer hij nuchter is en je kunt niet met hem praten wanneer hij dronken is. Het wordt tijd dat hem de wacht wordt aangezegd. Hij moet gewoon gehoorzamen. Het gaat zo van kwaad tot erger. Als we nu niets doen, doet hij in het vervolg helemaal wat hij zelf wil.' Opnieuw maakt hij aanstalten om de kamer uit te gaan.

Zij blijft hem echter vasthouden, terwijl ze voortdurend zegt: 'Doe het niet. Doe het niet.'

Dan gaat de haldeur open, en verschijnt Wim. 'Alle mensen, wat is dat hier een kabaal. Wat is er aan de hand?', vraagt hij, terwijl hij verwonderd naar de vreemde houding van zijn vader en moeder kijkt.

Zij houdt haar man nog steeds met beide handen bij zijn arm vast.

'Dat snotjong', zegt zijn vader.

'Maar waarom maakt hij nu zo veel lawaai op zijn kamer? Dat doet hij anders toch niet wanneer hij laat thuiskomt? Wat is er gebeurd?'

'O, pa en Gert hadden ruzie met elkaar.'

'Is het weer eens zo ver?'

'Ze gingen bijna met elkaar op de vuist. Het is toch verschrikkelijk, en dat nog wel op de dag des Heeren. Denk maar niet dat de Heere met Zich laat spotten. Wil jij soms met Gert gaan praten, Wim?'

'Ik kijk wel uit. Voordat je het weet, krijg je een pak slaag. Als Gert zo is, is er niets of niemand die hem tegenhoudt. Alleen Annelies zou misschien een oplossing weten, maar die is getrouwd, en je kunt haar niet midden in de nacht bellen. Maar wind je niet te veel op. Gert gaat toch zijn eigen gang, en hoe meer je ervan zegt, des te verkeerder gaat het. Het wordt heus niet anders. Gert verandert nooit. Ik ga nu naar bed. Laat die muziek maar even doorgaan tot Gert uitgeraasd is. Het houdt zo meteen vanzelf wel op.'

'Maar volgende week is het net zo.'

Wim haalt zijn schouders op. Hij kan het ook allemaal niet helpen. 'Dat kan wel zo zijn, maar het wordt eerder erger dan beter als je er iets van zegt. Hij is bovendien achttien jaar.'

'Hij heeft zich aan te passen', zegt moeder. 'Niet omdat het onze huisregels zijn, maar omdat het gaat om de wet van God.' Ze laat de arm van vader los en gaat op een stoel zitten, met de handen onder het hoofd. Haar hele lichaam trilt, en de hoogrode kleur op haar gezicht is nog donkerder geworden.

Vader gaat tegenover haar zitten, maar hij is het zo te zien in zijn hart niet met de gang van zaken eens, want hij kijkt langs de andere twee heen naar de deur. Hij beseft dat hij zijn greep op Gert volledig verloren heeft, en dat deze gebeurtenis nog wel eens een staartje kan hebben.

'Als we niets doen, gaat het absoluut verkeerd. Dit kan toch niet?', zegt hij wel twee keer achter elkaar.

'Man, we kunnen niets anders doen dan bidden, en dat hebben we veel te weinig gedaan', zegt moeder met een snik in haar stem.

Haar man reageert niet op haar woorden. Hij blijft zonder iets te zeggen langs haar heen kijken. Maar wanneer niemand verder iets zegt en er niets gebeurt, zegt hij ten slotte met een zucht: 'Dan weet ik het ook niet meer.'

Wim is in de kamer blijven staan en kijkt beurtelings naar zijn vader en zijn moeder.

'Wim, ga maar naar bed', zegt moeder. 'Wij gaan zo dadelijk ook. We moeten maar hopen dat het allemaal nog goed komt.' Maar haar moedeloze blik weerspreekt haar woorden. Ook zij weet niet meer hoe het verder moet.

2

De volgende morgen ligt Gert nog op bed wanneer het bijna kerktijd is. Wanneer hij wakker wordt, voelt hij hoofdpijn. Meteen denkt hij aan de scène van de vorige avond, en de boosheid komt weer in volle hevigheid bij hem boven. Welk recht hebben zijn ouders om hem zo te behandelen? Tot nu toe heeft hij zich steeds behoorlijk aan zijn ouders aangepast door elke zondag twee keer mee te gaan naar de kerk. Maar nu is het uit. Zijn ouders hebben hun volwassen zoon vernederd, en hij zal hen laten merken dat ze dat niet ongestraft kunnen doen. Zo doet tegenwoordig toch niemand meer? Ze hebben nog steeds niet door in welke tijd ze leven. Hij zal hen wel een handje helpen. Dan dringt het misschien eindelijk tot hen door.

Het valt hem op dat ze hem nog niet geroepen hebben, want dat doen ze elke zondag steevast verschillende keren op vaste tijden. Eerst roept zijn moeder hem een keer onder aan de trap op rustige toon. Daarna wordt haar stem steeds dringender, net zo lang totdat hij eruit komt. Meestal komt hij op het laatste nippertje, en staat de auto met de anderen erin al klaar om naar de kerk te gaan wanneer hij komt. Zijn ouders roepen hem nu niet, en ook Wim laat zich die morgen niet zien. Zouden ze het dan toch eindelijk leren?

Gert kijkt een keer op zijn wekker en ziet dat het tijd is om naar de kerk te gaan. Ze zijn blijkbaar erg laat, want pas vijf minuten na de gebruikelijke vertrektijd hoort hij hen het huis uit gaan. De auto rijdt sneller dan normaal. Dan is het weer stil. Hij krijgt een gevoel van triomf: hij heeft het toch maar gered. Ziezo, nu kan hij heerlijk uitslapen. Gert draait zich om en slaapt lekker verder. Dat is wat hij nodig heeft op zondagmorgen. Wat hebben zijn ouders hem een gigantische hoofdpijn bezorgd met hun gezeur.

Een paar uur later hoort hij de Ford van zijn vader weer aankomen. Nu gaan ze eerst samen koffiedrinken en zullen ze een paar algemeenheden over de preek zeggen, in de trant van: 'Het was weer een mooie preek. De dominee was er goed bij.' Gert merkt dat hij honger heeft en dat hij wel trek heeft in een kop koffie met een lekkere koek die ze altijd op zondag krijgen. Hij heeft echter geen zin in een gesprek met zijn ouders, en al helemaal niet in een nieuwe confrontatie. Hij blijft op bed liggen. Wat zullen ze opkijken dat hij nu niet komt. Laat hen maar goed voelen dat ze verkeerd gedaan hebben. Laat het eindelijk maar eens tot hen doordringen dat ze hem niet meer als een kleine jongen kunnen behandelen. Het wordt tijd dat ze zich eens verdiepen in deze tijd. Er is geen jongen van zijn leeftijd meer die zo aan het handje van zijn ouders gehouden wordt.

Niemand komt hem roepen voor de koffie. Des te beter. Dat van gisteravond zal wel behoorlijk wat indruk op hen gemaakt hebben, en misschien krijgen ze nu eindelijk door dat ze niet te pas en te onpas over zijn leven kunnen beschikken.

Gert merkt een uur later dat hij nogal honger heeft, maar ook dan vertikt hij het naar beneden te gaan zolang ze hem niet roepen. Als zij hem niet nodig hebben, heeft hij hen ook niet nodig, en kunnen ze verrekken. Hij houdt het nog wel een poosje uit. Met een ruk draait hij zich om naar de muur en probeert weer te slapen. Desondanks hoort hij even later de haldeur opengaan en hoort hij zijn moeder onder aan de trap roepen: 'Gert, kom je eten?'

Gert voelt de triomf. Ziezo, hij heeft weer gewonnen en kan gerust antwoord geven.

'Ja, ik kom', roept hij. Wanneer hij uit bed stapt, merkt hij dat de hoofdpijn nog niet over is, en wanneer hij zich aankleedt, valt hij bijna en voelt hij een felle pijnscheut in zijn hoofd. Opnieuw komt de boosheid in alle hevigheid boven over wat zijn vader en moeder hem hebben aangedaan. Terwijl hij de trap af gaat, denkt hij er even over na hoe hij zich zal houden. Hij besluit – zoals altijd – niets te laten merken van wat er gisteravond gebeurd is, maar ook zeker niet vriendelijk te doen. Dat is de beste manier om zijn boodschap over te brengen.

Zijn vader zit, zoals gewoonlijk voor het eten, het kerkblad te lezen en kijkt niet eens op wanneer hij binnenkomt.

Wim gromt iets wat je kunt opvatten als 'goedemiddag' en kijkt terloops naar hem. Hij weet natuurlijk best wat er gisteravond gebeurd is en wil – zoals altijd – geen partij kiezen.

Voor Gert hoeft dat ook niet. Vroeger waren ze altijd samen, en toen heeft hij Wim heel wat keren meegenomen op de scooter zonder dat hij er geld voor vroeg, of hem met iets geholpen. Wim is een andere koers gevaren en papt weer aan met zijn vader en moeder. Aan zo'n broer heb je, als het erop aankomt, niets.

Gert loopt zonder iets te zeggen langs zijn moeder in de keuken naar de koekenpan met gebakken aardappels en zoekt een aardappelschijf uit met een lekkere bruine rand.

Zijn moeder zegt niets en kijkt hem zelfs niet aan.

Daarna draait hij zich om en gaat naar de wc. Hij constateert dat Wim de enige is geweest die iets tegen hem gezegd heeft. En zij maar zeggen dat hij zich moet gedragen. Zelf doen ze net alsof hij er niet is, en dat nog wel op zondag. Ze moeten hun naaste dan toch ook liefhebben als zichzelf? Als ze maar niet denken dat hij iets zegt.

Wanneer Gert terugkomt van de wc, loopt zijn moeder juist met de koekenpan naar de eetkamertafel. 'Eten', roept ze in het algemeen, zonder namen te noemen, zoals ze anders wel doet.

Gert voelt het wel, maar hij reageert er niet op. Ze zullen hem niet uit zijn tent lokken. Het valt hem mee dat ze hem geroepen hebben. Maar ze weten natuurlijk dat hij naar de stad zal gaan om iets te kopen als hij niets krijgt, en daar heeft zijn moeder natuurlijk ook een hekel aan. Ze wil immers niet dat hij op zondag geld uitgeeft, en zeker niet dat hij dan ergens anders gaat eten.

Gert moet moeite doen om tijdens het bidden zijn ogen te sluiten. Het liefst zou hij gewoon beginnen te eten of met zijn ogen open blijven zitten, maar dan zouden ze hem de schuld kunnen geven van het verzieken van de sfeer, en dat wil hij niet. Hij past zich zo veel mogelijk aan. Het enige wat hij wil, is ruimte om de dingen te doen die hij nodig vindt.

Tijdens het eten zegt Gert niets en hij vermijdt een van de anderen aan te kijken. Hij eet met zijn ogen op zijn bord gericht, en wanneer hij de frietsaus moet hebben, die aan de andere kant van de tafel staat, staat hij op om die te pakken. Wanneer zijn moeder hem die op het laatste moment aangeeft, pakt hij die zonder iets te zeggen van haar aan. Ook de anderen zeggen niets. Ze hebben deze keer zelfs geen opmerkingen over de mensen in de kerk.

Na het eten van de kipkarbonades, gebakken aardappelen met appelmoes en doperwten volgt er vanillevla met aardbeiensap toe.

Gert werkt het eten naar binnen zonder er veel van te proeven. Werktuiglijk gaat hij rechtop zitten wanneer zijn vader na het eten de Bijbel pakt en traditiegetrouw het hoofdstuk opzoekt waarin de tekst staat waarover de dominee gepreekt heeft. Zodra hij de eentonige stem van zijn vader hoort, komt er weerzin bij hem op. Hij kijkt het raam uit en legt zijn benen op een stoel tegenover hem. Hij hoopt dat zijn vader er iets van zal zeggen, maar dat gebeurt niet. Hij stopt alleen een keer even met lezen, maar hij kijkt niet naar hem. Ook de bestraffende blik van zijn moeder blijft deze keer uit. Des te beter.

Het Bijbelhoofdstuk gaat over Jakob, die een ladder zag die tot aan de hemel reikte, een jakobsladder zogezegd, waarop engelen op en neer klommen. Jakob moest vluchten voor zijn broer Ezau, en hij sliep gewoon in het veld toen hij een droom kreeg. God stond boven aan de ladder en zei dat Jakob niet bang hoefde te zijn, omdat God met hem zou zijn. De volgende morgen nam Jakob de steen waarop hij met zijn hoofd gelegen had, en goot daarop olie voor God.

Er zijn mensen die geloven dat zulke verhalen echt gebeurd zijn, weet Gert. Ja, natuurlijk, Jakob kan best echt gedroomd hebben. Hij droomt zelf ook wel eens, maar dat wil nog niet zeggen dat God echt iets tegen hem gezegd heeft. Hoe komt iemand er nu bij een droom meteen uit te leggen als woorden van God? Trouwens, het kan best fijn geweest zijn voor Jakob dat hij meende de stem van God te horen, maar wat hebben de mensen van nu daaraan? Tegenwoordig zijn er dominees in sommige kerken die zeggen dat het verhaal van Jakob bij Beth-El te maken heeft met de bekeringsweg. Eerst zou je Beth-El moeten meemaken, en daarna Pniël, en dan pas ben je bekeerd, zeggen sommige mensen. Pas in Pniël, waar Jakob twintig jaar later kwam, kon hij zeggen dat zijn ziel gered was. Wat hebben die woorden van God in Beth-El dan voor zin gehad? Toen beloofde God toch dat Hij met Jakob zou zijn en hem overal zou behoeden?

Gert krijgt steeds meer weerzin tegen die oude verhalen. Degenen die menen dat God nu ook nog tegen mensen spreekt, zijn de dominees en ouderlingen, die de baas willen spelen in de kerk. Ze willen heerschappij hebben over de zielen van mensen, en iemand die er anders over denkt, is verdacht en hoort er niet meer bij. Bij hen in de kerk mag je niet eens zeggen wat je denkt, want o, je zou God eens kunnen beledigen.

Ineens komt er bij Gert een idee op waaraan hij nog niet eerder gedacht heeft. Die Jakob ging thuis weg, en dat kan hij ook doen. Hij kan gewoon na de vakantie, wanneer hij naar een andere school gaat, op kamers gaan. Dan is hij van het hele gedoe hier af. Het idee overweldigt hem ineens. Dat hij daar niet eerder aan gedacht heeft! Het zal er wel mee te maken hebben dat zoiets in deze streek nauwelijks of niet gebeurt. De meeste jongeren gaan niet ver weg studeren, en wie wel iets verder weg gaat, zorgt dat hij naar een school gaat waarvandaan hij met het openbaar vervoer iedere dag kan thuiskomen. Gert zou niemand uit de buurt weten die voor zijn studie op kamers gegaan is. Hij kent er wel een paar die dat voor hun werk gedaan hebben, maar dat vinden de mensen heel anders. Gert beseft dat de mensen in de buurt het zullen afkeuren als hij voor zijn studie op kamers gaat. Ze zullen er met elkaar over praten en hij zal eruit liggen. Maar ze moeten niet denken dat ze hem daarmee hebben, want hij heeft de buurt niet nodig. Hij kan het wel zonder al die vrome mensen die niet verder kijken dan hun neus lang is. Hij is niet met de buurt getrouwd, en als hij zijn eigen weg zoekt, hoeft hij hier ook niet te blijven wonen. Het is alleen wel een probleem met zijn studie, want hij wil eigenlijk best een beroep kiezen dat met de boerderij te maken heeft, en als hij op kamers gaat, kan hij het wel vergeten ooit hier op de boerderij te komen. Vergooit hij daarmee zijn hele toekomst? Welnee, de kans om op deze boerderij boer te worden is toch al niet groot, omdat het bedrijf eigenlijk te klein is. Dan is het zeker te klein voor twee man, en het zal nog jaren duren voordat zijn vader ermee stopt, en hij het zou kunnen overnemen. Bovendien is hij er dan nog niet happig op, omdat zijn vader en moeder natuurlijk hier zullen willen blijven wonen, en dan zit hij zijn hele leven met zijn ouwelui opgescheept. Hij moet er nog eens goed over nadenken of hij een managementfunctie zoekt in de agrarische richting of dat hij in de bouw gaat.

Gerts gedachten worden afgebroken wanneer zijn vader stopt met lezen, en ze gaan danken. Gewoontegetrouw vouwt hij zijn handen en sluit hij zijn ogen. Tijdens het gebed bedenkt hij wat hij de rest van de dag zal gaan doen. Hij kan demonstratief naar het café gaan, iets wat hij tot nu toe op zondag nog nooit gedaan heeft. In dat geval heb je de poppen helemaal aan het dansen, krijg je vanavond weer een scène en wordt hij misschien wel het huis uit gezet. Hij kan ook meegaan naar de kerk en de verhouding voor het oog goed houden, totdat hij op kamers gaat. Meteen nadat het idee bij hem opgekomen is, verwerpt hij het weer, omdat zijn vader en moeder dan zullen denken dat zij gewonnen hebben, dat hij weer een gehoorzame jongen zal worden en voortaan braaf naar hen zal luisteren. Hij kan beter naar zijn kamer gaan en hen laten voelen dat ze verloren hebben. Dat is beter voor de toekomst.

Zonder groet verdwijnt Gert na het eten naar boven. Hij ziet vanuit zijn ooghoeken de blik die zijn vader en moeder met elkaar wisselen. Ze hopen natuurlijk dat het maar voor één keer is dat hij niet naar de kerk gaat en dat hij volgende week weer braaf met hen meegaat. Als ze dat denken, kennen ze hem nog niet, want hij is niet van plan ooit nog met hen mee te gaan. Hij heeft recht op zijn eigen leven.

Tegen kerktijd is Gert erop gespitst of ze hem zullen roepen. Jawel hoor, de deur beneden gaat open en hij hoort de stem van zijn moeder. 'Gert, ga je mee? Het is kerktijd', klinkt het onder aan de trap. Hij hoort de deur niet dichtgaan en hij hoort ook geen voetstappen op de trap, wat betekent dat zijn moeder beneden is blijven staan. Ze durft niet naar boven te komen, gaat het door Gert heen. Laat haar maar goed bang voor hem zijn.

Gert geeft geen antwoord en draait zich nog een keer om. Hij is benieuwd of zijn moeder naar boven zal komen of dat ze het erbij zal laten zitten. Hij hoort even later wel geluid boven, maar dat komt van Wim, die zich klaarmaakt om naar de kerk te gaan.

'Gert, opschieten. We staan allemaal te wachten', klinkt het even later. Een paar minuten later hoort hij zijn moeder nog een keer onder aan de trap roepen, maar dan hoort hij ook de ongeduldige stem van zijn vader, die zegt: 'Hij wil niet mee. Laat hem maar.' Dan hoort hij snelle voetstappen en gaan er deuren dicht. Even later start de Ford Orion, slaan de portieren dicht, en vertrekt de auto. Ziezo, vader, moeder en Wim zijn naar de kerk, en hij heeft het rijk alleen.

Gert draait zich behaaglijk om op zijn andere zij wanneer ze weg zijn, en hij valt algauw in slaap. Maar niet voor lang, want al spoedig wordt hij weer wakker, en ineens voelt hij zich onrustig. Diep binnen in hem is een stemmetje dat hem zegt dat hij verkeerd bezig is. 'Je deed gemeen tegen je moeder', zegt dat stemmetje. 'Je had mee moeten gaan naar de kerk', zegt het even later. Gert meent zelfs te horen dat hij verloren gaat, maar dat weet hij niet zeker, want wanneer hij voor de derde keer het stemmetje hoort, dwingt hij zich met geweld aan iets anders te denken.

Hij denkt erover na hoe het verder moet. Het zal thuis de komende tijd erg moeilijk worden. Zo veel heeft hij wel begrepen. Zijn ouders zullen hun standpunt niet opgeven, en hij wil niet week in, week uit gezeur aan zijn hoofd of op zaterdagavond buiten de deur gehouden worden. Buiten hoort hij een vogel fluiten en een koe loeien. Zal hij een wandeling gaan maken? Dat is eigenlijk niets voor hem, en hij doet het ook nu niet. Zal hij een stuk gaan joggen? Dan heeft hij het natuurlijk in de hele buurt verknald, want dat doe je niet op zondag, vinden de mensen, en als hij het wel doet, zullen ze allemaal schande van hem spreken.

Hij besluit op bed te blijven liggen en nog eens na te denken over op kamers gaan. Als hij dat doorzet, kan hij doen wat hij wil en is hij voorgoed van al het gezeur af. Er staat tegenover dat het meer kost, en dat hij overal zelf voor moet zorgen. Maar hindert dat? Hoe langer hij over het plan nadenkt, des te beter bevalt het hem.

Het zal geen probleem zijn in de stad een baantje te vinden voor de zaterdag, want hij wil alles aanpakken wat hij maar kan krijgen, en hij is sterk. Desnoods kan hij ook op zondag gaan werken om aan genoeg geld te komen, maar met die gedachte heeft hij toch meer moeite. Zijn leven zal ingrijpend veranderen. Als hij op kamers gaat, kost het hem weliswaar meer geld, maar hij krijgt er vrijheid voor terug. Hij zal de computer niet meer met Wim hoeven te delen. Hij zal een televisie kunnen aanschaffen. Hij zal op zelfgekozen tijden kunnen uitgaan. Als hij een keer een meisje mee naar zijn kamer wil nemen, kan dat zonder dat zijn ouders moeilijke vragen zullen stellen.

Dat wordt natuurlijk het volgende probleem als hij thuisblijft. Annelies was een keurig meisje dat zich hield aan allerlei wetjes en regeltjes van de kerk, maar Gert heeft daar toch iets andere gedachten over. Wat is ertegen dat een jongen een meisje van wie hij houdt, meeneemt naar zijn slaapkamer? Hij weet echter zeker dat hij de grootst mogelijk problemen zal krijgen als hij dat thuis zou doen.

Gert voelt zich een stuk beter. Vanmorgen zag hij het nauwelijks zitten, en nu lacht de toekomst hem tegemoet. Weet je wat, hij gaat een stukje rijden om zijn gedachten te verzetten. Dan kan hij er meteen over nadenken. Gert gooit het dekbed van zich af, wast zich, kleedt zich aan en loopt naar beneden om te kijken of er nog iets te eten is. Hij ziet een paar sneden gesmeerd brood op een bordje staan met een glas karnemelk erbij. Zie je wel, zijn moeder kan het niet laten hem te bemoederen. Hij mag geen maaltijd overslaan, hij moet mee naar de kerk, zijn kleren moeten netjes zitten en hij mag niet naar het café. O wee, als hij niet in het spoor loopt.

Nadat hij het brood opgegeten heeft, loopt hij naar buiten en kijkt eens rond. Het is rustig. De koeien lopen in de wei. Bij buurman Van Boven zijn ze ook naar de kerk, en op de weg iets verderop is het ook rustig. De meeste mensen hier in de buurt gaan naar de kerk, en zij die niet gaan, nemen de zondagsrust in acht. Zijn ouders en Annelies vinden het heerlijk in zo'n rustige omgeving te wonen, maar hij vindt er niets aan. Hier is nooit iets te doen. Hij verlangt ernaar na de zomervakantie in de stad te wonen, waar altijd mensen op de been zijn en waar altijd iets te doen is.

Gert start zijn blauwe Volkswagen Golf GTI en rijdt met

een flinke vaart de oprit af. Op de zandweg geeft hij zo veel gas dat het zand opstuift. Het geeft hem een heerlijk vrij gevoel in de auto te rijden op de manier die hij zelf wenst. Deze lente is hij achttien geworden, en hij heeft daarna in een tiendaagse cursus zijn rijbewijs gehaald. De meeste van zijn kameraden hebben die cursus niet gedaan. Iedereen weet dat het alleen iets is voor de binken. Hij wist dat hij het zou halen, en dat gevoel heeft hem niet bedrogen. Zijn vrienden stonden er versteld van dat hij zo snel zijn rijbewijs had. Zijn scooter heeft hij verkocht, en van het geld dat hij daarvoor kreeg, heeft hij een oude auto gekocht, die hij zelf een beetje opgeknapt heeft. Hij heeft er grote luidsprekerboxen in gezet en blauwe lampjes aan de voorkant, die hij soms aandoet, behalve wanneer er politie in de buurt is. Hij zet de radio hard aan, omdat hij daar deze keer behoefte aan heeft.

Als hij naar zijn gevoel te werk ging, zou hij nu naar de stad gaan om wat te drinken, maar hij wil zo weinig mogelijk moeilijkheden voordat hij op kamers gaat en besluit het niet te doen. Hij geniet met volle teugen van het rijden en geeft flink gas. Hij komt op een brede tweebaansweg terecht, waar hij hard kan rijden. De flitspalen zijn van veraf zichtbaar, en hij remt op tijd om een boete te ontlopen, maar daarna trekt hij weer full speed op.

Nadat hij een eind gereden heeft, komt hij in een bosgebied terecht. Hij neemt een afslag en rijdt een bosweggetje in. Aan het begin van een volgend pad stopt hij. Hij doet het portier open, maar laat de radio aan staan. Hij heeft een mooi plekje gevonden met hoge beuken aan weerskanten en een lange laan, waar verder geen mens te zien is, zodat de muziek niemand stoort. Hier kan hij heerlijk bijkomen. Eerst steekt hij een sigaret op, dan gaat hij lekker achterovergeleund in de auto zitten, met zijn ogen dicht.

Het is me het dagje wel geweest. Waarom geven zijn ouders hem niet de gelegenheid om zijn eigen leven te leiden? Waarom maken ze er zich zo druk om wat hij doet? Het is toch zijn leven? Hij is toch volwassen? Je kunt het snappen dat ze zo doen tegen een zoon van zestien, maar die tijd is voorbij. Ineens ziet hij het gezicht van zijn vader voor zich. Hij zou er het liefst met zijn vuisten tegenaan beuken, hoewel hij weet dat zijn vader hier niet is. Ouwe, het zal je niet lukken mijn leven te verknallen!

Ineens betrapt hij zich erop dat hij nu toch weer aan minder leuke dingen denkt, wat hij niet wilde. Daarom dwingt hij zich aan de toekomst te denken. Hoe zal hij het aanpakken als hij op kamers gaat? Het lijkt hem het beste in stilte een kamer te zoeken en pas iets tegen zijn ouders te zeggen wanneer alles in kannen en kruiken is, want anders hebben ze toch weer van alles aan te merken. Hij kan ook morgenvroeg gewoon zeggen dat hij na de vakantie op kamers gaat. Zijn ouders weten inmiddels wel dat hij zich aan zijn woord houdt. Dan is hij in één keer van het gezeur af, en begrijpen ze prima waarom hij het doet, want dan leggen ze natuurlijk direct de verbinding met zaterdagavond.

De laatste gedachte spreekt hem het meeste aan. Zo heeft hij een mooie gelegenheid om zijn ouders te laten merken hoe vervelend zij zijn. Hij mocht anders een schuldgevoel krijgen, haha.

Gert blijft nog even zitten en steekt een tweede sigaret op.

Over het bospad nadert een keurig echtpaar van middelbare leeftijd, zij in lange rok. Zo te zien ergeren zij zich aan de muziek.

Gert heeft er lol in en hij weet zeker dat ze niets zullen zeggen wanneer ze hem passeren. Hij draait zijn hoofd om, kijkt de andere kant op en laat de muziek gewoon knetterhard staan. Het gaat precies zoals hij al dacht. De man en vrouw kijken naar hem en zijn auto, ziet hij vanuit zijn ooghoeken. Ze zullen het wel over de jeugd van tegenwoordig hebben, maar ze spreken hem niet aan. Zo zijn de meeste mensen: ze hebben wel een grote mond over allerlei toestanden, maar durven anderen niet persoonlijk te benaderen. Kijk maar, nu zijn ze voorbij, en de vrouw kijkt met een boze blik achterom. Daarna praten ze opgewonden met elkaar. Dappere mensen zijn er niet veel.

Gert blijft nog even rustig zitten genieten, speelt een spelletje op zijn mobieltje en staat na een kwartiertje op om te vertrekken. Ook nu verzet hij zich met succes tegen de aandrang ergens een café op te zoeken, al heeft hij wel heel veel zin in een pilsje. Hij is benieuwd of zijn ouders nog iets zullen zeggen aan het eind van deze dag. Laat de confrontatie maar komen. Gert geniet al bij voorbaat.

3

De volgende morgen komt Gert, na goed geslapen te hebben, tegen koffietijd uit bed. Hij ziet dat zijn moeder wat schuw naar hem kijkt. Hij heeft een beetje medelijden met haar dat ze zo bang voor hem is, al is het aan de andere kant ook wel prettig. Hij is er niet op uit haar het leven moeilijk te maken. Het enige wat hij wil, is wat vrijheid voor zichzelf. Gert weet dat ze de rest van de week al haar best zal doen om hem weer in een goede stemming te brengen. Zijn moeder is al met al een beter mens dan zijn vader.

'Moe, heb je koffie?'

'Ik wist niet dat je zou opstaan. Over vijf minuten heb ik koffie. Ga nu even niet zitten computeren.'

Gert reageert er niet op. Dat is ook zo'n strijdpunt. Toen Annelies nog thuis was, wilden ze altijd allemaal tegelijk computeren. Na haar vertrek had Gert zelf een computer aangeschaft, omdat hij niet van iemand anders afhankelijk wilde zijn. Hij had de computer in de kamer neergezet, op de plaats waar die van Annelies eerst stond. Wim mocht van zijn computer gebruik maken, en dat ging meestal best, maar soms kwam het zo uit dat ze tegelijkertijd wilden computeren, en dan botste het. Zijn moeder is altijd bang dat hij verslaafd raakt en dat hij naar verkeerde dingen kijkt. Pas had ze in een kerkblad over Hyves gelezen, en daarna las ze hem de les over 'hieves', zoals ze het uitsprak. Volgens haar stond Hyves vol – hoe zei ze dat ook weer? – verkeerde dingen, en kreeg je er allerlei heel oppervlakkige contacten door. Ze weet gewoon niet waarover ze het heeft. Als hij op kamers zit, zal hij ook van dat ge-zeur over de computer af zijn.

Hij gaat op de bank zitten, kijkt slaperig om zich heen en steekt een sigaret op. Vandaag is het een mooie dag. De zon schijnt, en hij heeft vrij. Hij gaat na de koffie meteen kijken of er in de stad kamers vrij zijn. Jammer dat Wim zo veranderd is. Anders konden ze samen gaan kijken. Nu zal hij het alleen moeten doen. Hij weet al bij voorbaat dat Wim partij zal kiezen voor zijn vader en moeder. Na het ongeluk is Wim veranderd. Hij lijkt nu alles wat er thuis gebeurt, goed te vinden, al gaat ook hij zijn eigen gang. Hij gaat tenminste nogal eens met Harm mee naar een evan-gelische dienst, ook al vinden zijn vader en moeder dat niet goed.

Het contact met Annelies en Peter is een beetje verwa-terd sinds ze getrouwd zijn. Het is een prachtige bruiloft geweest, en hij moet zeggen dat zijn knappe zus er in haar witte trouwjapon als een prinses uitzag. Ze zijn in een bak-huis bij een boerderij in de buurt gaan wonen, en de ver-houding tussen Annelies en Peter en zijn ouders is uit-stekend. Annelies komt heel vaak even thuis aan om wat te kletsen of om melk of groente uit de tuin te halen. Gert gaat een enkele keer 's avonds naar zijn getrouwde zus en haar man. Hij kan goed met hen overweg, maar omdat hun gedachtewereld zo heel anders is dan de zijne, hebben ze weinig aanknopingspunten voor een diepgaand gesprek. Ook ontstaan er wel eens discussies die uit de hand lopen. Zodra Annelies de kans krijgt, heeft ze het over het geloof of over iets wat daarmee te maken heeft. Peter praat graag over politiek, en het liefst over christelijke politiek. Van sport, de showbusiness en Gerts favoriete muziek weten ze niets, en dat geeft toch verwijdering. Soms krijgen ze een goed gesprek over de boerderij of over school, want Annelies heeft ook de havo gedaan.

Dat neemt niet weg dat hij Annelies een aardige meid blijft vinden, die in sommige dingen op hem lijkt. Toen zij zijn leeftijd had, ging ze ook haar eigen gang: ze kocht een auto en een computer en ze schafte een hele rij boeken van Amerikaanse schrijfsters en allerlei theologen aan die haar vader en moeder niet allemaal op prijs stelden. Annelies botste bijna nooit met haar ouders. Ze wist haar mening steeds met een kwinkslag te brengen. Ze deed altijd vriendelijk en bleef zonder mopperen naar de kerk gaan. Maar toen ze verkering kreeg met Peter, zette ze haar eigen zin door, ook al waren haar ouders het helemaal niet met haar eens. Gert moet ineens denken aan het schuurfeest, hoe zij daartegen ageerde en de buurt daarin meekreeg. Eigenlijk is hij best trots op zo'n zus.

Toch wil Gert Annelies niet vragen hem te helpen met het zoeken van een kamer, omdat ze hem dan meteen van zijn idee af zal willen brengen. Dat weet hij wel zeker. Over een groot aantal dingen denkt ze hetzelfde als haar ouders. Niet dat het hem echt iets uitmaakt; hij regelt zijn eigen zaakjes wel.

Zijn besluit staat vast: hij gaat na de vakantie op kamers, en niemand houdt hem tegen. Hij zal na de koffie even op internet kijken. Er zal vast wel een studentenorganisatie zijn die zich met het verhuren van kamers bezighoudt.

Gert hoort een deur: zijn vader komt binnen voor de koffie. Hij hoort hem kuchen. Zijn vader doet de deur open. Gert besluit hem recht in zijn gezicht te kijken. Dan weet zijn vader dat hij niet over zaterdagavond moet beginnen. Een beetje gespannen is hij trouwens wel, wat hij merkt aan een iets versnelde hartslag, maar zijn ervaring is dat zoiets vanzelf overgaat als je maar doorzet.

Het gezicht van zijn vader staat niet vriendelijk wanneer hij gaat zitten, en dat had Gert ook niet verwacht. Gelukkig is moeder er al gauw met de koffie en een dikke plak snijkoek. Zijn vader laat de koffie even staan en begint de koek op te eten, zonder iets te zeggen. Gert besluit ook zijn mond te houden, desnoods tot aan het eind van de koffiepauze.

Na een paar minuten verbreekt moeder het zwijgen. 'Man, we zouden vanavond wel naar Annelies en Peter kunnen fietsen. Het is zulk mooi weer, en we zijn er al een hele tijd niet geweest.'

'Ik heb het druk vandaag. Er is vanmorgen een afdeling varkens weggegaan, en ik moet de hokken schoonspuiten. Over een paar dagen komen de biggen, en dan moet alles schoon en droog zijn.'

'Man, je hebt ook nooit tijd. Je bent altijd maar bezig met die boerderij.'

Hij kijkt haar aan en zegt vergoelijkend: 'Op een boerderij ben je altijd bezig. Dat is waar. Vanavond kan ik echt niet, maar ik denk dat ik morgenavond wel tijd heb. Bel jij even op of het uitkomt?'

'Ook alweer zo'n vreemde gewoonte', protesteert moeder. 'Vroeger ging je gewoon ergens naartoe, zeker naar je familie. Tegenwoordig moet je zelfs aan je eigen kinderen vragen of het gelegen komt.'

'De tijd is veranderd, vrouw. Vroeger ging je in de winter op buurtvisite, en in de zomer was een boer altijd aan het werk en had hij geen tijd om op visite te gaan. Tegenwoordig is het anders, en gaan de boeren ook in de zomer op bezoek, maar niet zonder eerst een afspraak te maken. Als er geen slechtere veranderingen waren dan dit, ging het nog wel.'

'Dat wil ik ook niet zeggen,' zegt moeder, 'maar het is

allemaal wel heel anders dan vroeger. Vroeger kon je ergens om halfacht aankomen, maar dat is er nu niet meer bij, want dan zijn ze nog lang niet klaar en schaam je je dat je zo vroeg komt. Je moet niet voor halfnegen 's avonds komen. Vroeger zaten de kinderen erbij als er visite was, maar dat doen ze tegenwoordig ook al niet meer. Ze zijn aan het computeren of zitten op hun eigen kamer.'

'Bij Annelies hoef je daar niet bang voor te zijn, want die heeft nog geen kinderen', zegt Gert, en hij voegt eraan toe: 'Ik zie het al voor me: oma Van den Berg.'

Hij ziet dat de gezichten van zijn ouders zich naar hem toe keren. Blijkbaar hadden ze niet verwacht dat hij zou meepraten. Met deze manier van doen heeft hij al vaak succes gehad: gewoon weer meepraten na een ruzie en net doen alsof er niets gebeurd is.

Ze reageren geen van beiden op de woorden van Gert, en het gesprek valt stil.

Gert drinkt zijn laatste slok koffie op en zegt: 'Ik denk dat ik even ga computeren.'

Zijn ouders reageren er niet op. Met grimmige voldoening constateert Gert dat ze nog steeds niet over de schok van de vorige dag heen zijn, toen hij niet meeging naar de kerk. Gert besluit niets te zeggen over de kamer en zijn ouders te zijner tijd voor een voldongen feit te plaatsen. Hij voelt een innerlijke voldoening wanneer hij aan dat moment denkt.

4

Het is een mooie zomerdag geweest, en ze zitten aan het eind van de dag buiten te schemeren. Je hebt hier een prachtig plekje om te zitten. Aan de ene kant zie je de bosrand met de zandweg die langs het huis van Van Boven, de ouders van Peter, naar de verharde weg leidt, en aan de andere kant is het boerenland. De koeien grazen vredig in de wei, waar zich in de lage gedeelten en bij de slootkant een grijze nevel begint te vormen. Gert volgt de bewegingen van de koeien, die nu achter elkaar aan naar een ander gedeelte van het weiland lopen. Hij houdt van koeien.

Gert heeft zijn zaakjes goed voor elkaar. Hij heeft een kamer gehuurd in de stad zonder dat iemand ervan wist, en hij heeft de spullen die hij nodig heeft, al gekocht. Binnenkort begint de school, en dan wil hij verhuisd zijn. Hij heeft uiteindelijk toch voor de studie management gekozen. Hij is van plan vanavond over zijn kamer te vertellen en hij geniet bij voorbaat van de verbaasde gezichten die hij te zien zal krijgen. Hij heeft het nergens meer over gehad, en zijn vader en moeder evenmin. De afgelopen tijd heeft hij zich redelijk aan de eisen van zijn ouders gehouden. Hij kwam weliswaar elke zondagmorgen te laat thuis in hun ogen, maar het is alsof ze zich erbij neergelegd hebben, want ze blijven niet op totdat hij thuis is, en ze zeggen er ook niets van. Om hun een plezier te doen gaat hij één keer per zondag mee naar de kerk. Zijn ouders hebben wel in de gaten dat ze niet aan zijn hoofd moeten zeuren. Er lijkt voor hen een aardig compromis bereikt te zijn. Wat zal het hun tegenvallen wanneer hij vanavond vertelt dat hij op kamers gaat wonen.

Moeder komt naar buiten met een dienblad vol drinken: voor Gert, zijn vader en Wim een flesje bier, en voor haarzelf een glas appelsap. Zijn moeder is beslist een goed mens. Ze heeft zich altijd uitgesloofd voor het gezin, en zijn vader is ook zo kwaad nog niet, als het tenminste niet over geloofszaken gaat, want dan valt er geen land met hem te bezeilen.

Terwijl Gert het bierflesje naar zich toe haalt, ziet hij beweging boven zijn hoofd. Er vliegt een vleermuis, die met grillige bewegingen het luchtruim afzoekt naar vliegende insecten. Gert volgt de baan van de insectenjager en verwondert zich erover hoe het allemaal mogelijk is. Hij heeft op de basisschool geleerd dat een vleermuis allemaal kleine signaaltjes uitzendt, die weer terugkomen, zodat het vliegende zoogdier nergens tegenaan botst. Door die signalen weet het dier bijvoorbeeld dat ergens een boom staat, zodat het eromheen kan vliegen. Als er een insect vliegt, zendt de vleermuis steeds snellere signaaltjes uit om op het juiste moment te kunnen toehappen. Het is een wonderlijk verhaal. Even denkt hij eraan dat hij al dergelijke dingen uit de natuur in de stad niet zal zien. Nu is hij niet zo'n geweldige natuurliefhebber, maar hij moet toegeven dat het hier toch wel mooi is op zo'n vredige nazomeravond. Ook de zwaluwen die nu laag over de weilanden scheren en dan weer langs het dak van het huis komen aanvliegen, zijn heel boeiend om te zien. Hoe is het mogelijk dat hij er nu opeens tegen opziet het zijn ouders te vertellen? Maar terugkomen van een beslissing is niets voor Gert, en hij besluit daarom meteen van wal te steken.

Zijn moeder komt hem prachtig te hulp. 'Volgende week op de nieuwe school beginnen, Gert', zegt ze. 'Dat zal best wennen zijn.'

'Is het niet aan school, dan wel aan mijn kamer', zegt

Gert plompverloren, en hij wacht rustig op de uitwerking van zijn opmerking.

'Hoe bedoel je?', vraagt zijn moeder nietsvermoedend.

'Ik krijg een nieuwe kamer.'

'Hè?'

'Morgen ga ik verhuizen. Vanaf volgende week slaap ik in de stad. Dan zorg ik voor mezelf en hoeft u zich niet meer voor mij uit te sloven. Zal dat even gemakkelijk zijn.'

Zijn moeder slaat van verbazing haar handen op haar bovenbenen en zegt: 'Wat vertel je me daar nu?'

'Wordt u doof? Ik zei net dat ik op kamers ga, en dat u vanaf volgende week geen eten meer voor me hoeft te koken en ook niet meer hoeft te wassen.'

'Dat meen je niet', zegt zijn moeder, en ook het gezicht van zijn vader staat vol verbazing.

Gert geniet van het moment. Het gaat precies zoals hij het verwacht had: zijn moeder zegt dat ze het niet gelooft, en zijn vader is totaal verbouwereerd. Hij voelt een grimmige voldoening door zich heen gaan. Ziezo, dat is een punt voor hem. Al die jaren hebben ze hem met hun ouderwetse regels getreiterd, en nu komt zijn triomf. Gert zet zich schrap, voorbereid op de dingen die vast en zeker gaan komen. Ze zullen hem er op allerlei manieren van willen weerhouden op kamers te gaan, terwijl alles al in kannen en kruiken is, haha ... Hij had er plezier in het allemaal te regelen: het zoeken van de kamer, het overleg over de huurprijs en daarna het kopen van de spullen. Het was voor het eerst dat hij zich echt vrij voelde.

Hij vindt het alleen wel een beetje sneu voor Wim, met wie hij vroeger zo close was en die hij nu niet in vertrouwen genomen heeft. Hij ziet de teleurstelling op diens gezicht. Hij ziet dat zijn broer iets wegslikt, maar hij zegt niets. Wim wil geen ruzie.

Dan mengt zijn vader zich met harde stem in het gesprek, en door de toon weet Gert hoe gesprek zal verlopen. 'Wil jij op kamers gaan? Weet je wel wat je doet? Je kunt een OV-kaart krijgen en gratis naar school reizen. Thuis kookt je moeder het eten en wast ze je kleren. Je kunt het nooit beter krijgen dan hier. Ik snap niet wat je in je hoofd haalt.'

'Ik wel. Ik snap heel goed wat ik in mijn hoofd haal. Maar ik wil jullie geheugen wel een beetje opfrissen. Misschien weten jullie nog wat een enorme ruzie jullie maakten toen ik een keer iets te laat thuis was. Of zijn jullie dat inmiddels vergeten?'

Moeder gaat staan en zet haar handen op de rand van de tuintafel. 'Gert, ik wist niet ...'

'Dat is toch alweer een poos geleden, Gert, en we hebben ons daarna met opzet rustig gehouden. Je moeder en ik hebben met elkaar afgesproken er niet weer over te beginnen. Ik weet niet of je je een beetje kunt voorstellen wat dat voor ons betekend heeft?'

'Absoluut niet.'

'Dat dacht ik wel.'

'Begin er nu niet weer over. Aan ruziemaken heb je niets. Laten we het erover hebben wat Gert nu van plan is', probeert Wim een opkomende ruzie de kop in te drukken.

'Wim, houd je mond. Ik heb me twee maanden ingehouden, in de hoop dat alles goed zou komen, en dat jong is gewoon zijn eigen gang gegaan en heeft gedaan wat hij zelf wilde. En nu zal ik nog niet eens mogen zeggen wat ik ervan vind? Ik vind het een schande! Vrouw, laat me uitpraten, ik wil nu toch eens duidelijk zeggen waar het op staat. Jij trekt je van je ouders totaal niets aan en daarmee overtreed je het vijfde gebod.'

'Rustig, je zou nog stikken. En als je weer ruziemaakt,

ben ik al weg. Ik ben achttien jaar, en dat betekent dat ik voor de Nederlandse wet volwassen ben en geen boodschap meer heb aan wat jullie er wel of niet van vinden.'

'Je blijft ons kind, en de opvoeding houdt nooit op, Gert', zegt zijn moeder op ernstige toon.

Gert zet zijn bierglas neer, veegt zijn lippen langzaam af en zegt: 'Wanneer ik uit huis ben, houdt het wel op, want dan ben ik er niet meer. Zo simpel is dat.'

'Ook dan, Gert. Ouders blijven verantwoordelijk voor hun kinderen. En dan kan ik nog voor je bidden en je waarschuwen als ik je zie', zegt zijn moeder, die rustig probeert te blijven. Maar Gert hoort wel dat haar stem trilt. Hij heeft veel plezier om de situatie: zoals altijd blijft hij volmaakt rustig en weet hij de juiste antwoorden te bedenken, wordt zijn vader kwaad, en toont zijn moeder zich heel erg bezorgd.

'Laat ik het eens anders zeggen: wanneer ik het huis uit ben, hebben jullie geen last meer van me', zegt Gert.

'Jochie, jij kunt niet alles doen wat je zelf wilt', zegt zijn vader met driftige stem.

'Als ik u was, zou ik de wet nog eens goed nalezen. Daarin staat namelijk dat iemand met zijn achttiende jaar volwassen is en dat hij dan ook tegen de zin van zijn ouders op zichzelf mag gaan wonen. Dus ik kan wel doen wat ik wil, haha.'

'Gert, je houdt geen rekening met de wet van God. Die zegt dat kinderen hun ouders moeten gehoorzamen, en daar staat geen leeftijd bij', zegt zijn moeder.

'Jullie moeten zelf weten of je rekening wilt houden met de wet van God, want jullie zijn ook volwassen, maar in de Nederlandse wet staat alleen maar dat je op je achttiende jaar volwassen bent. Trouwens, als je het zo belachelijk doortrekt, zou jij nog naar je oude moeder moeten luisteren, en ik heb nooit gemerkt dat je dat deed.'

'Gert, ik wil niet dat je zo praat', zegt zijn vader, terwijl hij hem boos aankijkt. 'Je zult eenmaal spijt krijgen van wat je wilt doen. Het is niet zomaar iets, wat je van plan bent. Onze voorouders hebben al generaties lang op deze boerderij gewoond, en het ene geslacht gaf aan het andere geslacht de wet van God door om na te leven. Die gehoorzaamheid wordt gezegend, maar wat jij doet, niet.'

'O, weet je nu al hoe het verder met me gaat? Je lijkt God zelf wel.'

'Gert, ik waarschuw je met je gespot.' Vader steekt dreigend zijn vinger omhoog.

'Ik zal zelf weten wat ik zeg', antwoordt Gert, iets rustiger dan daarnet.

'Stil, er komt iemand aanfietsen', zegt moeder.

Opeens zijn ze alle vier stil, want ze willen niet dat hun ruzie in de buurt bekend wordt. Ze luisteren wie er aankomt. Het zou wel heel vervelend zijn als degene die nadert, gehoord heeft wat er net gezegd is en dat in de buurt rondbazuint. Gert ziet de gezichten van de buurtbewoners al voor zich. Met de hoofden dicht bijeengestoken zullen ze elkaar toefluisteren dat Gert met ruzie het huis uit is. Nee, dat moet niet gebeuren. De buren hebben er niets mee te maken.

Dan merken ze dat het Annelies is, die nu haar fiets bij de hooitas neerzet. Gert kijkt naar haar wapperende haren wanneer ze komt aanlopen. Annelies is een knappe meid. Ze heeft blijkbaar in de gaten dat er iets gaande is.

'Wat is hier aan de hand?', vraagt ze.

'O, niets', zegt haar vader.

Annelies kijkt hen alle vier een tijdje aan, wat voor haar blijkbaar genoeg is om haar vermoeden te bevestigen.

'Mag ik het niet weten? Ik merk dat er iets gebeurd is. Jullie kunnen toch gewoon zeggen wat er is?' Daarbij kijkt ze haar moeder doordringend aan.

Die zwijgt niet langer meer. 'Och, kind, het is weer het oude liedje, maar nu een beetje erger. Gert wil ...' Ze slikt moeilijk en kijkt hulpeloos naar haar man. Omdat die niets zegt, gaat ze verder: 'Nou ja, laat ik het maar gewoon zeggen: Gert wil het huis uit. Zo is het.'

Annelies kijkt met een vragend gezicht van haar moeder naar haar vader en dan naar Gert. 'Wat is er dan gebeurd, Gert?'

'Er is zo veel niet gebeurd. De ouwelui zijn altijd boos, omdat ik me niet aan hun regels houd. Ik maak het hun gemakkelijk, zodat ze helemaal niet meer boos hoeven te worden. Volgende week ga ik in de stad naar school. Dan ga ik op kamers, en dan hoeven ze zich niet meer aan mij te ergeren. Dat is toch voor iedereen het gemakkelijkste? Ik ben volwassen, dus ik denk dat ik een goed moment uitgekozen heb.'

'Ja, Gert, je bent volwassen, en is je gedrag dan nog niet veranderd? Je leert niet snel, hoor', zegt Annelies, een beetje gekscherend, en ze voegt eraan toe: 'Is alles wat er gebeurd is, voor jou een reden om op kamers te gaan?'

'Zo kun je het wel stellen.'

'Nou, nou, hier heb ik even geen antwoord op', zegt Annelies, die de blik van vier mensen op zich gevestigd voelt. 'Ik ga eerst even wat drinken halen.'

Gert is teleurgesteld over haar houding. Wanneer ze met een glas appelsap terug is, barst hij los: 'Waarom heb je er geen mening over? Je kunt toch gewoon zeggen dat ik gelijk heb? Toen jij een paar jaar geleden die leeftijd had, deed je ook allemaal dingen waar vader en moeder niet zo blij mee waren.'

'Wat dan?', reageert ze meteen.

'Nou, jij kocht een auto, terwijl moeder zei dat je beter kon sparen voor je uitzet. Daarna kocht je een computer, waar vader en moeder helemaal niets voor voelden. Ondanks hun protesten heb je gewoon je zin doorgezet. En dat doe ik nu ook.'

'Ik zeg niet dat ik alle dingen goed gedaan heb. Je hebt gelijk wanneer je zegt dat ik wel eens wat al te vrijbuiterig was, maar dat is wel heel iets anders dan wat jij doet. Ik kwam niet op zaterdagavond te laat thuis, en ik ging geen bier drinken in het café.'

'Ja, ja, maar het gaat erom dat ook jij je ouders niet gehoorzaamde.'

'Het ging over heel andere dingen.'

'O, en toen met die verkering met Peter? Pa en ma wilden eerst ook niet dat je verkering met hem had, omdat hij van een andere kerk was. Je luisterde niet naar hen, maar deed gewoon je eigen zin. Je hebt het altijd over de geboden van God, maar wat je toen deed, was duidelijk tegen het vijfde gebod, waar staat dat je je ouders moet gehoorzamen. En het ging werkelijk niet over kleine dingen.'

'Toch was het heel iets anders', werpt Annelies tegen.

'Vind jij dat heel iets anders? Nou, ik niet. Ik vind het nogal wat, tegen de wil van je ouders met een jongen verkering te hebben. Hoe kun jij dan zeggen dat het over heel andere dingen ging?'

'Het was niet tegen de Bijbel.'

'Volgens vader en moeder wel. Zij vonden het tegen de Bijbel als je een vriend van een andere kerk had, omdat die kerk de ware leer niet zou hebben. En het is zeker wel tegen de Bijbel als ik op kamers ga? Dan moet je eerst maar eens uitleggen waar in de Bijbel staat dat je wel een vriend mag hebben tegen de wil van je ouders en niet op kamers mag gaan tegen hun wil.'

Gert beleeft een moment van triomf, want hij heeft Annelies vastgepraat. Ze geeft tenminste geen antwoord. Het is moeilijk haar in de hoek te drijven, omdat ze altijd haar woordje klaar heeft, en het van tevoren helemaal niet zeker is wat ze zal gaan zeggen, zoals met zijn ouders.

Gert lacht in zichzelf wanneer hij ziet dat Annelies een rood hoofd begint te krijgen. Hij heeft haar goed geraakt met zijn woorden. Nu is het wachten totdat ze haar ongelijk erkent.

Gert merkt dat alle blikken op Annelies gericht zijn. Iedereen weet dat zij de enige is die het met enige kans op succes tegen Gert kan opnemen. Ook Wim, die tijdens dit gesprek niets zegt, maar wel zijn eigen mening heeft, kijkt naar haar. Gert vindt het een beetje laf van zijn broer dat hij het niet voor hem opneemt. Wim heeft wel eens gezegd dat hij het goed kan begrijpen als Gert op kamers zou gaan, omdat hij iedere keer ruzie heeft, maar dat zegt hij niet tegen vader en moeder. Wim wil zijn ouders natuurlijk niet afvallen, omdat hij straks alleen thuisblijft. Dan moet hij natuurlijk niet iedere keer ruzie hebben.

Annelies pakt haar glas van tafel en drinkt een slokje sap. Daarna zet ze het terug en kijkt Gert aan, waarna ze weer begint te praten. 'Het gaat er niet om of je wel of niet op kamers gaat, maar dat je je eigen zin wilt doen en tegen de geboden van God wilt ingaan. Toen ik verkering had met Peter, ging ik tegen de wens van vader en moeder in, maar ik ging niet tegen de Bijbel in. Mijn ouders waren fout door mij dat te verbieden. Als jij op kamers gaat, doe je dat niet omdat ... hoe moet ik het zeggen ...?'

'Jaja, als ik op kamers ga, doe ik mijn eigen zin en ga ik tegen de geboden van God in, en toen jij verkering kreeg met Peter, luisterde je naar de geboden van God. En dat moet ik allemaal maar geloven?'

'Ik bedoel,' zegt Annelies, 'toen ik verkering kreeg met Peter, heb ik erom gebeden en wilde ik niet tegen Gods wil ingaan, maar jij wilt alleen maar op kamers gaan om je niets van God te hoeven aantrekken. Of wil je soms zeggen dat jij erom gebeden hebt?'

'En als ik dat nou eens wel gedaan heb?'

'Als ik kijk hoe laat jij in de nacht van zaterdag op zondag thuiskomt, geloof ik niet dat jij zo veel bidt om op kamers te mogen gaan.'

'Daar weet jij niets van, en bovendien staat nergens in de Bijbel dat de zondag om twaalf uur 's nachts begint. In Israël begon de sabbat op vrijdag bij zonsondergang.'

'Gert, we leven niet in Israël, maar in Nederland en in ons land begint de zondag om twaalf uur in de nacht van zaterdag op zondag. Dat weet jij ook heel goed.'

'Annelies, we leven niet in het Nederland van achttienhonderdzoveel, maar in het Nederland van tweeduizendzoveel. Dat weet jij ook heel goed.'

'Wat bedoel je daarmee?'

'Daarmee bedoel ik dat de tijden veranderen. Vroeger vonden alle Nederlanders dat je op zondag twee keer naar de kerk moest, dat je op zondag niet mocht fietsen en dat je dan geen ijsje mocht kopen. Ik heb er pas nog een verhaal over gelezen. Je maakt mij niets wijs. Nu is er alleen nog een stelletje geïsoleerde mensen van de Biblebelt dat zich daaraan houdt.'

'Gert, ik wil niet dat je zo praat', zegt Gerts moeder.

'Ik mag zeggen wat ik wil, want we leven in een vrij land. Vroeger konden de ouders de kinderen opleggen wat ze wel of niet mochten zeggen, maar die tijd is voorgoed voorbij. Als ik u was, zou ik daar rekening mee houden. Als een volwassen zoon op kamers wil, mag dat in Nederland. Misschien moet u daar nog aan wennen, maar zo is het.'

'Zo waren wij dat vroeger niet gewend', zegt vader, die moeite doet om niet heftig uit te vallen.

'Vroeger, vroeger,' schampert Gert, 'vroeger liepen de mensen hier in berenvellen rond, maar toen gingen ze ook niet naar de kerk. Vroeger was ook alles zo goed niet.'

Gert ziet aan Annelies' gezicht dat ze emotioneel wordt. Ziezo, die discussie heeft hij ook weer gewonnen. Even kijken wat ze te zeggen heeft.

Ineens gooit Annelies het eruit: 'Gert, jij blijft maar redeneren, maar je weet zelf ook heel goed waarom je op kamers wilt. Peter en ik wilden allebei naar Gods Woord leven, en we hebben het erover gehad of onze ouders ons de omgang zouden mogen verbieden. Maar daar gaat het bij jou niet om. Jij wilt op kamers gaan om te kunnen doen wat je zelf wilt, zonder God.'

Het hoge woord is eruit. Annelies heeft een rode blos op haar gezicht en kijkt langs Gert heen naar de weilanden.

'Dat zijn jouw woorden', zegt Gert bedaard, terwijl hij het laatste restje bier uit zijn flesje drinkt.

Zijn woorden zijn het einde van het gesprek over dit onderwerp. Terwijl het langzaam donker wordt, gaan de verdere gesprekken over allerlei dingen: over mensen uit de buurt, de familie, de kerk en het vee. Het wordt warempel nog gezellig. Vader staat op om de buitenlamp aan te doen om nog iets langer te profiteren van de avond. Ze stoppen pas met de gesprekken wanneer het pikdonker is.

'Peter zal niet weten waar ik blijf', zegt Annelies wanneer ze opstaat. Voordat ze weggaat, spreekt ze Gert nog even aan. 'Gert, als je echt van plan bent op kamers te gaan, hoop ik dat je ook beseft dat er heel wat bij komt kijken. De huur van een kamer bedraagt in de stad minstens driehonderd euro per maand. Je moet zelf voor je eten en voor de was zorgen, en dat lijkt me niks voor jou. Jij denkt dat ...'

'Jij weet helemaal niet wat ik denk, zus. Natuurlijk weet ik wat er allemaal bij komt kijken. Ik ben niet achterlijk. Je moet betalen voor een kamer, je moet zelf eten koken en de was doen, maar weten jullie wel wat daartegenover staat? Wanneer je op kamers woont, zeggen je ouders niet waar je wel of niet heen mag gaan, hoe laat je naar bed moet en wat je wel of niet op je kamer mag zetten.'

'Gert, je bent toch niet van plan een televisie op je kamer te zetten?', vraagt moeder, die een nieuw gevaar ziet, ongerust.

'Ik zei net toch dat ik dat zelf beslis wanneer ik op kamers ga. Ik zou zeggen: kom over een poosje eens kijken. Dan kunt u alles met eigen ogen zien.'

'Gert, zo moet je niet praten', zegt Annelies op licht verwijtende toon tegen Gert.

'En ik vind van wel.'

'Gert, in de Bijbel staat dat je je ouders moet eren, opdat je dagen verlengd worden in het land dat de Heere je geeft.'

'O, en u denkt dat ik langer zal leven als ik thuis blijf wonen? Dat lijkt me wel heel simplistisch.'

'Gert, nu is het uit', zegt moeder boos. 'Ik wil niet dat je zo over de Bijbel praat. Het is hier ons huis, en je mag niet alles zeggen.'

Wanneer Gert de tranen in de ogen van zijn moeder ziet, slikt hij het antwoord dat hij wilde geven, in. Hij beseft dat hij niet verder moet gaan.

'Gert,' vervolgt zijn moeder, die door het stilzwijgen blijkbaar moed gekregen heeft, 'ik vind het heel erg dat je zo praat. De Heere heeft het beste met jou en met ons voor. We krijgen elke dag eten dat Hij laat groeien, en we zijn gezond. De Heere geeft ons gezondheid, en dan mogen we niet zo over God en Zijn Woord praten. Gert, laat je toch gezeggen. Anders loopt het fout met je af.'

Gert draait zijn hoofd om. Hij heeft dit verhaal al zo vaak gehoord. 'Ik ga een stukje lopen', zegt hij in het algemeen, en tegen Annelies: 'Maar ik loop niet met jou mee.'

'Ik ga wel naar Peter. Die is veel leuker dan jij', zegt Annelies schertsend.

'Durf dat nog eens te zeggen', zegt Gert, en terwijl hij het zegt, rent hij naar haar toe. Maar Annelies heeft erop gerekend en rent snel weg.

Gert loopt naar haar fiets toe en zegt: 'Ik zet de fiets op slot en haal het sleuteltje eruit, hoor.'

'Als je het hart in je lijf hebt om dat te doen.'

'Klik. Ik heb het sleuteltje in mijn hand', zegt Gert.

Annelies komt snel toelopen en wil het sleuteltje uit zijn hand trekken, wat Gert natuurlijk verwacht had. Hij trekt zijn hand op het laatste moment terug en lacht haar hartelijk uit. Dan grijpt ze zijn hand om het sleuteltje te pakken.

Gert heeft inmiddels zijn hand met het sleuteltje erin dichtgedaan. 'Je mag het hebben als je die hand los kunt krijgen.'

Annelies doet verwoede pogingen om de uitgestoken en stijf gesloten hand van Gert los te krijgen, eerst met één hand, daarna met de vingers van haar beide handen.

Gert heeft een lachje op zijn gezicht en laat haar begaan. Hij weet dat hij veel sterker is dan zij, maar hij heeft buiten de waard gerekend, want zij heeft lange nagels, die Gert best pijn doen, en ze geeft het niet op. Annelies merkt dat ze wint. Ze heeft al twee vingers van Gert los en gaat dapper door. Dan beginnen Gerts vingers te trillen en kan hij het niet meer houden. Snel trekt hij zijn hand terug.

'Dat was niet afgesproken', zegt Annelies. 'Geef mijn sleuteltje terug.'

'Alsjeblieft', zegt Gert, en hij gooit het sleuteltje op de grond.

Annelies grist het snel weg en zegt: 'Mag ik nu nog bij mijn fiets, meneer de kamerbewoner?'

'Jazeker mag jij bij je fiets, als je tenminste nooit meer iets onaardigs tegen me zegt.'

'Dat beloof ik niet, maar ik weet natuurlijk niet wat jij aardig of onaardig vindt. Volgens mij ben ik altijd aardig tegen jou, zo'n lieve broer.'

'Lief vooral', zegt Gert, en ineens is de toon van zijn stem weer anders. 'Sommigen denken daar heel anders over.'

'Laat me nu maar bij mijn fiets, want ik wil weg', zegt Annelies.

Gert loopt een stukje met haar mee in het donker, tot aan het eind van de oprijlaan. Dan begint ze, zoekend naar woorden, te praten.

'Gert, vind je het goed dat ik nog iets zeg?'

'Natuurlijk, zus, als je me maar niet de les gaat lezen, zoals pa en ma doen.'

'Ik kom je niet de les lezen. Ik wil alleen weten hoe je er- toe gekomen bent op kamers te gaan.'

'O, ik dacht dat je het allemaal begreep.'

'Gert, je weet hoeveel moeite vader en moeder ermee hebben.'

'Veel te veel, zou ik zeggen. Tegenwoordig gaan zo veel jongeren op kamers wanneer ze achttien zijn. Pa en moe moeten daar niet zo moeilijk over doen en zich er gewoon bij neerleggen. Zij hebben achttien jaar geprobeerd me op te voeden, en nu mag ik het zelf doen.'

'Snap je niet dat ze bezorgd om je zijn?'

'Natuurlijk snap ik dat. Ik ben niet achterlijk. Maar ik hoop dat jij ook begrijpt dat ik van al dat gedoe baal als een stekker. Waarom moeten ze altijd zeggen dat ik zo verkeerd leef? Ze zeggen dat ze bezorgd om me zijn, maar intussen gaat het om hun eigen hachje, want wat zullen de mensen zeggen als ze te weten komen dat Gert op kamers gaat? Als De Rooij en al die andere mensen het weten ... Nou, het maakt mij geen barst uit hoe anderen over me denken. Ik leef mijn eigen leven, zoals ik denk dat het goed is. Ze denken dat ik met opzet goddeloos ga leven, maar dat is niet zo. Ik heb vrijheid nodig en leef mijn leven zoals ik denk dat het goed en verantwoord is. Ik wil iets bereiken, en dat doe je niet door alleen maar te drinken en televisie te kijken. Dat weet iedereen, maar zo word ik wel door de ouwelui afgeschilderd. Iedereen heeft recht op zijn eigen leven.'

'Nou, nou, Gert, een beetje kalm aan, graag. Jij doet toch ook wel eens dingen die niet zo goed zijn?'

'Dingen die vader en moeder niet goed vinden, zul je bedoelen.'

'Nou ...'

'Wat dan?'

'Die muziek die je hebt, is niet altijd christelijk.'

'Daarom hoeft die toch nog niet verkeerd te zijn? Je wilt toch niet zeggen dat alleen christelijke muziek goed is?'

'Er zit ruige muziek bij, met heel verkeerde teksten.'

'Ik ben niet zo goed in Engels. Die teksten kunnen me niets schelen, en er zijn bovendien genoeg christelijke groepen met ruige muziek, al zullen hun teksten misschien wel goed zijn.'

'En met heel opzwepende muziek. En je gaat naar cafés in de nacht van zaterdag op zondag en je drinkt te veel.'

'Ik drink wel veel, maar niet te veel, want ik ben nog

nooit dronken geweest. En bovendien doe ik met al die dingen niemand kwaad. Het is mijn eigen keus naar het café te gaan en een gezellige avond te hebben met mijn vrienden. Het is ook mijn eigen keus naar muziek te luisteren die ik mooi vind. Ik zou geen problemen met mijn ouwelui hebben als ze dat zouden inzien en mij iets meer vrijheid zouden geven. Wat zij van hun leven maken, moeten ze zelf weten, maar dat wil ik ook met het mijne.'

'Gert, ze hebben altijd hun best voor ons gedaan, en dan hoef je toch geen ruzie te maken?'

'Ik maak geen ruzie, dat doen zij.'

Annelies zegt niets meer. Broer en zus blijven nog even bij elkaar staan, en dan zegt Annelies: 'Gert, ik ga nu, maar ik wil je graag nog een Bijbeltekst meegeven. Vergeet niet dat Jezus gezegd heeft: "Wie dorst heeft, kome tot Mij en drinke."'

'Pils is voor mij goed genoeg', lacht Gert. Hij is de woorden meteen vergeten, zo denkt hij. Wanneer hij haar gedag gezegd heeft, zich omdraait en het huis ziet, overvalt hem ineens een ander gevoel. Hij zal alles toch wel missen als hij hier weggaat. Hij richt zijn blik op de contouren van de koeienschuur en de varkensschuur, en ineens dringt het tot hem door hoeveel pijn het hem zal doen alles hier achter te laten. Toen ze nog klein waren, heeft hij hier zo vaak gespeeld met Wim en Annelies. Ze deden verstoppertje of hielpen met het voeren van de koeien. En hoe vaak heeft hij niet met Wim en andere jongens hier in de buurt rondgezworven, in het bos en op de paadjes achter de weilanden? Ze maakten zwaarden en speelden soldaatje. Vooral vlag veroveren was een spannend spel, waarmee ze gerust een hele zaterdagmiddag bezig konden zijn. In een flits beseft hij dat hij de omgeving waar hij zijn jeugd heeft doorgebracht, zal missen. Hij werkte ook best graag op de boerderij. Waarschijnlijk heeft hij door op kamers te gaan zijn hele toekomst vergooid. De kans hier boer te worden zit er met deze beslissing niet meer in.

Maar wanneer hij denkt aan alle narigheid die hij hier heeft meegemaakt, vergeet hij de leuke momenten. Wat hebben zijn vader en moeder gezeurd wanneer hij op zaterdagavond niet op tijd thuiskwam. Wat zanikte zijn moeder over dood en eeuwigheid, naar het leek om hem bang te maken. En dan die verhalen over bekeerde mensen die hun zonden zo goed kenden, terwijl zijn vader en moeder zelf niet eens bekeerd waren. Het is me nogal een noodlotsleer: je moet maar afwachten of je bekeerd wordt, en als dat niet gebeurt, heb je je hele leven tevergeefs gewacht. En al dat vasthouden aan die oeroude tradities. Kom, hij moet ergens anders aan denken. Anders zou hij toch nog chagrijnig worden.

5

Het is een mooie avond in september. De avondlucht achter de huizen is rood van de zojuist ondergegane zon, en de warmte van de dag hangt nog rondom de huizen. Op een speeltoestel op het plein spelen een paar donkergekleurde kinderen. Op een bankje zit een negerin naar hen te kijken. Een paar jongeren lopen een friettent binnen. Uit een café aan de rand van het plein komt luidruchtige muziek. Het zijn de dagelijkse dingen.

Gert staat bij het open raam van zijn kamer en kijkt uit over het plein en de ertegenover liggende huizen. Ongeveer vijf minuten geleden zijn Wim en Peter, die hem hebben geholpen met verhuizen, vertrokken. Peter had een karretje achter zijn auto, waarop ze Gerts fiets, geluidsapparatuur, meubels, boeken, kleren en wat kleine spulletjes hadden geladen. Gert heeft zelf geen trekhaak aan zijn auto, die hij in een zijstraat geparkeerd heeft.

Het afscheid vanmorgen stelde niet zo veel voor, omdat Gert geen behoefte had aan een drama. Er was al genoeg gezegd. Nadat ze de kar hadden volgeladen en hadden gekeken of alles goed vastzat, waren ze naar binnen gegaan om koffie te drinken. Natuurlijk waren zijn vader en moeder aanwezig, maar die hadden gelukkig in de gaten dat het weinig zinvol was nu nog zware woorden te gebruiken. Het gesprek ging erover of Gert niets vergeten was, of er geen zeil over de spullen op het karretje moest en welke weg ze zouden nemen naar de stad.

Toen Gert de koffie op had, stelde hij voor te gaan. Wim en Peter waren ook meteen opgestaan, en toen had Gert het moment van afscheid nemen met opzet zo kort mogelijk gehouden. Zijn moeder had hem een kus gegeven. Gert zag de tranen in haar ogen. Hij zag ook dat ze iets wilde zeggen, maar hij draaide zich om voordat ze dat kon doen. Zijn vader gaf hem een hand – dat was heel uitzonderlijk – en zei niet meer dan: 'Dag, Gert.' Zijn ouders waren meegelopen naar buiten en hadden de auto nagekeken toen die vertrok. Zwaaien deden ze niet. Dat waren ze niet gewend. Gert zou wel graag willen weten wat zijn moeder na zijn vertrek deed. Zou ze in huilen uitgebarsten zijn of zou ze een klaagzang tegen vader afgestoken hebben?

Na aankomst hadden ze met z'n drieën de spullen uitgeladen en naar boven gesjouwd, naar de zolderverdieping die Gert gehuurd heeft. Het sjouwen met de meubels en de andere dingen was vermoeiend geweest. Op het laatst hadden ze gewoon geen gevoel meer in hun benen gehad.

Toen ze klaar waren, was Wim friet voor hen gaan halen, terwijl Gert en Peter zich bezig hadden gehouden met het neerzetten van de meubels en het inrichten van de kamer. Na het eten waren er allerlei kleine klusjes te doen geweest. In de douche zaten een paar tegels los; daar heeft Peter zich mee beziggehouden. Wim heeft naar de elektriciteit gekeken. Er moest in ieder geval een aansluiting voor de computer gemaakt worden. Verder moesten er gordijnrails vastgemaakt worden, zodat hij 's avonds, als hij dat wilde, de gordijnen zou kunnen sluiten, en moest er boven aan bij de trap nog wat geverfd worden. De avond was al een eind heen geweest toen ze klaar waren. Wim had voor iedereen een pizza gehaald bij de pizzaboer in de buurt, en ze hadden een flesje bier gedronken. Toen waren Wim en Peter naar huis gegaan.

Nu staat Gert voor het open raam en kijkt uit over het plein. Het is hier heel anders dan hij thuis gewend was.

Daar zag hij vanuit zijn slaapkamerraam de weilanden en de bosrand. Hier ziet hij niets dan huizen en stenen. Zijn oog glijdt over het pleintje naar de huizen aan de overkant, meest woonhuizen, een paar winkels. De ene is de friettent. Dan is er nog een zaak waar je allerlei dagelijkse dingen kunt kopen, zoals kranten, boeken, tijdschriften, rookgerei en schrijfwaren. Daarnaast is een groentewinkel en dan komt er een wat kleinere winkel waar je films en dvd's kunt huren. Iets verderop zit een bakker, en daarnaast een shoarmawinkel of iets dergelijks. Wat dat precies voor zaak is, heeft hij niet goed bekeken, maar hij zag wel dat die gerund werd door Turken of Marokkanen. Daar zullen ze hem niet vaak zien. Een van de nadelen van de stad is de aanwezigheid van buitenlanders, vindt Gert.

Een behaaglijk gevoel maakt zich van hem meester. Eindelijk is hij vrij om te gaan en te staan waar hij zelf wil, en kan hij zijn leven op zijn eigen manier gaan inrichten. Zijn ouders denken dat hij binnen de kortste keren met hangende pootjes zal terugkomen, maar dan kennen ze hem niet. Hij zal zijn eigen leven in vrijheid en zelfstandigheid leiden.

Gert deelt de trap met een stelletje studenten die tweehoog wonen. De ene heeft echt zo'n studentenuiterlijk: warrig haar en van die onbestemde ogen. De andere is een leuk slank meisje, dat zich in een opvallend strakke spijkerbroek heeft gehesen.

Het wordt langzaamaan donkerder. De mensen die daarnet op het pleintje waren, zijn weggegaan. Uit de shoarmazaak klinkt gepraat. Iets verder hoor je auto's rijden, en uit een open raam aan de overkant waait muziek in flarden over het plein.

Gert sluit het raam tot op een kier en loopt door zijn nieuwe onderkomen. Het telt drie vertrekken: een zit/-

slaapkamer, waarin hij naast zijn bed een makkelijke stoel, een tweezitsbank en een bureau met een stoel heeft staan, dan een douche met wc en ten slotte een klein keukentje. Het stelt bijna niets voor, maar hij kan in ieder geval zelf koken. Er is een aanrecht, een kraan met koud en warm water, en er staat een koelkast. Hij heeft gehoord van oud-klasgenoten die met een stuk of zes studenten in een huis terechtkwamen en het moesten doen met een gezamenlijke woonkamer, een gezamenlijke keuken en een eigen slaapkamer. Dat lijkt wel mooi en gezellig, maar per persoon hebben ze niet meer ruimte dan hij. Gert is blij dat hij niet met anderen hoeft te delen. Hij heeft liever wat minder ruimte en wat meer vrijheid. Als je een huis samen met anderen huurt, moet je altijd rekening met hen houden en ben je nog niet echt vrij.

Hij heeft thuis al zo vaak rekening moeten houden met anderen. De ene keer was het Annelies die zo nodig achter de computer moest terwijl hij bezig was, en de volgende keer moest hij de afwas doen van zijn moeder, vroeg Wim hem ergens voor of moest hij helpen koeien melken. Het was niet zo dat hij dat niet wilde doen. Gert begrijpt best dat mensen elkaar wel eens moeten helpen. Hij was blij dat Peter en Wim hem vandaag geholpen hebben. Hij heeft hen ook regelmatig geholpen. Maar het moet geen dwang worden, want iedereen heeft recht op zijn eigen leven.

Bij het zien van de lege bierflesjes krijgt Gert dorst. Hij doet de koelkast open en pakt een pilsje. Met zijn aansteker wipt hij de dop er in één handige beweging af. De dop vliegt tegen het plafond. Gert grinnikt. Hij denkt aan zijn moeder, die zich altijd zo vreselijk opwond wanneer hij dat thuis deed, en hij voelt zijn boosheid nog wanneer hij er weer aan denkt. Zijn moeder reageerde altijd zo overdreven. Er was geen enkele reden om boos te worden, want nadat hij de dop eraf geknald had, zocht hij altijd net zo lang in de kamer totdat hij hem gevonden had. Zijn moeder had altijd iets te zeuren: over zijn drinken, over zijn late thuiskomen, over de muziek die hij volgens haar te hard aan had staan, over de verkeerde kleren in de kerk, dat hij te laat was voor de kerk, dat hij in de kerk niet meezong of dat hij met zijn hoofd op zijn armen lag. Ging het niet over de kerk of over God, dan was het wel dat hij te hard op de trap stampte bij het naar boven gaan.

Gert, niet aan thuis denken, zegt hij tegen zichzelf. Hij laat zich in de stoel vallen die hij met veel zorg uitgezocht heeft bij de kringloopwinkel. De stoel zit heel makkelijk. Gert maakt zich niet zo druk om het minder mooie uiterlijk. Daarna draait hij aan de knop van de radio totdat hij gevonden heeft wat hij zoekt: Radio 538. De muziek moet niet te hard staan, want dan hebben de buren last van hem. Dat is ook zoiets: de hele familie heeft hem op het hart gedrukt rekening te houden met de buren. Net alsof hij dat zelf niet weet.

Na een paar slokken bier richt hij zich op de toekomst. Overmorgen beginnen de lessen op school. Hij heeft er best zin in. Hij leert graag. Hij heeft morgen nog een dag vrij om de stad te verkennen en wat leuke dingen te doen. Wacht, dan kan hij meteen een televisietoestel kopen. Dat mocht hij thuis niet. Zelfs op zijn eigen kamer had hij er geen staan. Als hij het wel gedaan had, waren zijn vader en moeder in staat geweest het toestel op een onbewaakt ogenblik weg te halen en kapot te gooien. Als zijn moeder het over de televisie had, haalde ze een dominee aan die zei dat TV 'tot verdoemenis' betekende en dat je naar de hel ging als je ernaar keek. Hij gelooft er helemaal niets van. Het probleem van de internetfiltering heeft hij hier ook niet. Zijn ouders wilden een veilig internet, en daarom moest hij Filternet gebruiken, net alsof hij nog een klein kind was. Hoe vaak is het niet gebeurd dat een site geblokkeerd werd door het filter, terwijl er niets mis mee was. Dat probleem heeft hij hier niet. Hij zal morgen gaan informeren naar een internetaansluiting. Er is nogal wat concurrentie, dus hij doet er het beste aan eens precies te bekijken welke de goedkoopste aanbieder is. In geldkwesties is hij altijd goed geweest.

Kom, hij gaat nog wat drinken en dan naar bed, zodat hij morgen bijtijds kan opstaan.

6

De school is saai. Daar komt Gert al snel achter. Zijn hele voorgeslacht was boer, heeft zijn vader altijd gezegd, en blijkbaar heeft hij toch nog iets met dat voorgeslacht. Hij heeft gekozen voor een studie management, die tegelijkertijd de weg openhoudt naar de boerenwereld. De tegenwoordige boer is een manager, die van alle markten thuis moet zijn: op de juiste tijd aankopen doen en investeren en noem maar op, en tegelijkertijd met dieren bezig zijn. Dat is niet te vergelijken met de vroegere keuterboeren van de Veluwe, zoals die in zijn geboortedorp nog voorkomen.

Gert was op de middelbare school goed in de exacte vakken: wiskunde, scheikunde en natuurkunde. Die vakken krijgt hij nu ook. Daarnaast krijgt hij managementvakken: over effectiviteit, assertiviteit en communiceren. Erg interessant zijn de vakken niet, maar iedereen zegt dat je eerst een saai gedeelte krijgt en dat de studie steeds interessanter wordt.

Gert heeft zich onderworpen aan een strakke discipline. Hij heeft te veel verhalen gehoord van jongeren die de vrijheid niet aankonden, maar wat aanrommelden en ten slotte met hun studie moesten stoppen. Dat zal hem niet overkomen. Hij heeft zich de verplichting opgelegd iedere avond een paar uur te studeren voordat hij leuke dingen gaat doen, zoals uitgaan, computeren of televisie kijken, en daar houdt hij zich consequent aan.

Deze discipline zorgt vanzelf voor een overzichtelijke indeling van de avonden. Wanneer hij thuiskomt gaat hij eerst voor het eten en de was zorgen. Daarna gaat hij studeren. En de tijd die over is, gebruikt hij voor ontspanning.

Hij besluit ongeveer één keer in de maand op zaterdag naar huis te gaan om zijn gezicht te laten zien. Dan kan hij vanzelf zien of dat meer of minder moet worden.

Gert kijkt op zijn horloge wanneer hij een tijdje hard geblokt heeft. Het lukte prima met de studie vanavond, maar hij is nu wel aan een beetje ontspanning toe en hij besluit nog even naar de soos te gaan. Hij haalt uit het schuurtje achter het huis zijn fiets tevoorschijn, waarmee je je in de stad vaak makkelijker kunt verplaatsen dan met de auto, en rijdt door verlichte straten naar het schoolgebouw waar de soos is. Een paar weken na het begin van de studie heeft hij die ontdekt. Het is een ruimte in het schoolgebouw die beheerd wordt door de studentenvereniging en waar je eventueel tot in de vroege uurtjes gezellig bij elkaar kunt zijn. Eerst ergerde hij zich wel eens aan de rommel die er lag, want Gert is altijd netjes, maar je krijgt toch niet alles zoals je het wilt hebben, en de sfeer is er goed. Je praat er onder het genot van een pilsje op een heel ontspannen manier met anderen, niet alleen met vrienden, maar ook met studenten die je nog niet kent. Kennismaken met anderen gaat heel vanzelfsprekend en niet geforceerd.

Gert parkeert zijn fiets in de fietsenstalling en gaat naar binnen. Al van grote afstand komt het geluid van muziek en pratende stemmen hem tegemoet. Arie en Hendrina staan achter de bar. Veel tafeltjes zijn bezet. De muziek is gezellig. Kortom, hij is blij dat hij gegaan is. Hij ziet zijn vriendengroep al zitten. Wanneer hij bij de bar een pilsje gehaald heeft, pakt hij een stoel bij een ander tafeltje vandaan en gaat bij hen zitten.

Pas wanneer hij zit en een slok van zijn bier genomen heeft, valt zijn oog op een meisje dat recht tegenover hem naast Marit zit en dat hij hier nog niet gezien heeft. Ze zal wel in een andere klas zitten en door een van de anderen hier geïntroduceerd zijn. Wat een knap grietje is dat, met haar lange, sluike, donkere haar en interessante donkere ogen. Zo'n aantrekkelijke verschijning heeft hij nog niet vaak gezien. Het is geen wonder dat de anderen aan zijn tafeltje ook regelmatig naar haar kijken. Gert is helemaal gefascineerd door haar verschijning en hij voelt dat zijn hart sneller begint te kloppen. Hij dwingt zichzelf zijn geest weer onder controle te krijgen. Even later kijkt hij haar in het gezicht. Op datzelfde ogenblik kijkt zij naar hem en kijkt hij recht in haar donkere ogen, en dan begint zijn hart weer sneller te slaan. Ondanks zichzelf slaat hij zijn ogen neer. Dat is hem nog nooit overkomen. Hij merkt dat het meisje tegen hem glimlacht en met haar ogen knippert, waarbij haar mond iets opengaat. Hij moet vooral niets laten merken aan de anderen, want hij weet precies hoe het gaat. Ze zullen hem op de korrel nemen en grappen maken, net zo lang totdat hij rood en verlegen wordt of zijn goede humeur verliest. Dat hebben ze bij anderen ook al gedaan en dat hoort zo'n beetje bij de cultuur hier. Je kunt beter met de anderen meedoen dan dat ze jou op de korrel nemen. Gelukkig hebben ze niets in de gaten, en kan hij zijn gedachten ordenen.

De gesprekken gaan over van alles en nog wat, en er is niets wat zo ontspannend werkt. De ene keer hebben ze het over het haar van Niels dat niet goed zit, daarna praten ze over school, dan weer over de nieuwste aanbiedingen voor mobieltjes, over een vriend of een vriendin die ze op Hyves getroffen hebben of over de politiek. Het maakt allemaal niet uit. Tim heeft een auto, een Peugeot. Hij is een jaar ouder dan de meeste anderen en heeft op zaterdag een goedbetaalde baan. Aha, ze heet Bianca, hoort hij zeggen. Die naam moet hij onthouden.

'Zal ik een rondje halen?', vraagt Gert wanneer iedereen zijn drinken op heeft. Ze drinken allemaal bier, behalve Bianca, die een Bacardi Breezer bestelt. Terwijl zij zegt wat ze wil hebben, heeft hij gelegenheid om haar aan te kijken en ondergaat hij de sensatie van haar ogen opnieuw. Hij heeft zich inmiddels hersteld en slaat zijn ogen niet neer wanneer zij naar hem kijkt.

Gert haalt voor iedereen het bestelde en merkt bij zijn terugkomst op dat Tim op zijn stoel is gaan zitten. Misschien wil die wel recht tegenover Bianca zitten, gaat het jaloers door hem heen. In hem ontwaakt een soort jachtinstinct. Hij ziet dat een stoel op twee plaatsen afstand van Marit vrij is en gaat daar zitten.

Tim vertelt over zijn werk. Hij werkt 's zaterdags als stratenmaker en hij weet het leuk te brengen. Hij heeft het over de soorten stenen die ze gebruiken en over het aantal vierkante meters dat ze op een zaterdag wegleggen.

'Dan zul je aan het eind van de dag wel behoorlijk versleten zijn', zegt Bianca.

'Dat kun je wel zeggen,' zegt Tim, 'maar het verdient goed. Ik krijg twintig euro per uur.'

'*Twintig* euro per uur? Dat meen je niet', zegt Lars, die aan de andere kant van de tafel zit.

'Dat meen ik wel', zegt Tim onverstoorbaar. 'Waarom zou ik dingen zeggen die niet waar zijn?'

'Er is niemand die op jouw leeftijd twintig euro per uur verdient', houdt Lars vol. 'Ik krijg tien euro, en iedereen zegt dat ik goed verdien.'

'Jochie, ik zou zo zeggen: ga een keer met me mee op een zaterdag. Dan kun je het werk zien dat ik doe. Misschien kun je alvast gaan trainen om dat werk in de verre toekomst ook aan te kunnen, want het is geen werk voor watjes.'

'Hoe bedoel je?'

'Ik bedoel niks. Ik zeg alleen maar dat het geen werk voor watjes is, en dat je heel wat in je mars moet hebben om het aan te kunnen.'

'En dat heb jij? Dat is een nieuw gezichtspunt.'

'Dat blijkt. Daarom zeg ik: ga eens mee. Dan kun je het zien. Misschien kunnen we even handje drukken. Dat is ook een leuke test.'

Gert had verwacht dat Bianca bewonderend naar Tim zou kijken, maar dat doet zij niet. Misschien interesseert lichamelijke kracht haar niet zo, en is ze meer geïnteresseerd in andere dingen, zoals intelligentie.

'Aan de kant, jongens. Tim en Lars gaan handje drukken.'

Stoelen schuiven naar achteren om de twee de kans te geven hun krachten te meten. Even later zitten ze met de ellebogen op de tafel en met de handen ineengeslagen tegenover elkaar. Gert schat dat Tim het snel zal winnen. Hij heeft het ook wel eens tegen Tim opgenomen, maar die had hem binnen vijftien seconden overwonnen. Hij kreeg de kans om revanche te nemen, maar ook toen won hij niet. Pas later hoorde hij dat Tim in zijn vrije tijd stratenmaker is en begreep hij het. Stratenmakers sjouwen de hele dag met stenen en zijn erg sterk in hun handen. Er is nog nooit iemand geweest die het van Tim heeft gewonnen. Lars neemt het voor de eerste keer tegen hem op, en iedereen is benieuwd hoelang hij het zal volhouden. Niels kijkt of de handen verticaal zijn en dan geeft hij het sein om te beginnen. Dan blijkt dat het Tim niet lukt de hand van Lars snel naar beneden te drukken. Hoe bestaat het! Ziet hij goed dat de hand van Tim naar beneden gaat? Moet je zijn gezicht eens zien: het is helemaal gespannen en wordt vuurrood. Tim gaat verliezen. Langzaam gaat de hand van Tim naar beneden en dan komt hij ineens neer op de tafel. Iedereen kijkt bewonderend naar Lars, die de kampioen verslagen heeft.

'Hier is een vergissing in het spel', zegt Tim.

'Je kunt niet tegen je verlies', zegt een van de meisjes.

'Zullen we het zo dadelijk nog een keer doen?', vraagt Lars.

'Natuurlijk', snauwt Tim.

'Eerst trakteren', zegt Tineke. 'Jongen, je hebt verloren. Jij bent er altijd als de kippen bij om de verliezer te laten trakteren. Nu ben jij aan de beurt.'

Tim is sportiever dan Gert dacht. Hij vraagt wat de anderen willen drinken en loopt naar de bar om voor iedereen iets te halen.

De gesprekken gaan nu over de afkomst van iedereen.

Bianca kijkt Gert aan en vraagt hoe hij heet.

'Ik ben Gert.'

'Daar ken ik een leuk versje van', zegt Tineke. 'Ik ben Gerrit, ik steel als de raven, ik ben een boef in de ogen der dwazen, maar wat moet je dan, als je niets hebt, op deze wereld, waar je steeds wordt genept? Ben jij er ook zo een?'

'Ja, precies. Hoe weet jij dat zo snel? Je moet wel over bijzondere gaven beschikken.'

'Doe ik ook,' zegt Tineke, 'maar jij bent vanavond niet op je mondje gevallen.'

'Nee, en als dat wel zo was, dan zeker niet op jouw mondje', zegt Gert.

De jongens lachen, Tineke niet. Gert ziet vanuit zijn ooghoeken dat Bianca er ook niet om lacht, en daar kan hij niet goed tegen. Hij weet de meisjes meestal wel aan het lachen te krijgen. Zou Bianca een ander type zijn? Hij heeft nog meer pijlen op zijn boog, en de avond is nog lang.

'Waar kom jij vandaan, Gert?', vraagt Bianca.

'Ik kom van een dorpje op de Veluwe.'

'O, dat is midden op de Biblebelt, en daar zijn ze allemaal zo godsdienstig. Ben jij er ook zo een?'

Gert schrikt van de directe vraag, want iets dergelijks is hij niet gewend, maar hij wil ook niet liegen. Dan beseft hij dat hij helemaal niet hoeft te liegen. Met een stalen gezicht zegt hij: 'Nee.'

'Maar je komt wel uit een mooie omgeving, met bossen en zo. Ik ben er wel eens met vakantie geweest. Het moet heerlijk zijn daar te wonen. Woon je dicht bij het bos?'

'Ik kom van een boerderij aan de rand van het bos, en dat is heel mooi wonen. Heel anders dan op de zware Zeeuwse klei of de eindeloze platte Friese wereld.'

Dat heeft Gert goed ingeschat. Zijn laatste opmerking leidt de aandacht van hem af, want nu doet Niels een duit in het zakje door te verklaren dat er niets boven de zware Zeeuwse klei gaat. Geen enkele grondsoort is zo vruchtbaar als de Zeeuwse klei, geen boer werkt zo hard als de Zeeuwse boer, en geen land heeft zulke mooie vergezichten als het Zeeuwse land.

'En geen meisjes zijn zo mooi als de Zeeuwse meisjes', voegt Gert eraan toe. Ziezo, hij heeft de lachers weer op zijn hand.

'Het land waar het leven goed is, zeggen ze toch altijd?', reageert Niels. 'Duizenden mensen gaan er tegenwoordig heen met vakantie.'

'Ik ben wel eens met vakantie naar Zeeland geweest, en dat was prachtig. Ik denk terug aan zonovergoten stranden en heerlijk zwemwater met Zeeuwse schonen.'

'Wat wil je nog meer?', vraagt Niels.

'Dat wilde ik er net aan toevoegen. Ik wilde zeggen dat

er in de winter niets aan is. Dan is het strand kaal, het water koud en het land saai', zegt Tineke.

'Heb je wel eens kennisgemaakt met een paar stevige Zeeuwse handen?'

'Nee, moet dat dan?'

'Dat kun je nu niet meer zeggen', zegt Niels, terwijl hij Tineke bij haar schouders vastpakt en stevig heen en weer schudt. 'Zul je het niet meer zeggen?'

'Wat heb ik verkeerd gezegd?', vraagt ze verschrikt.

'Je hebt het Zeeuwse land beledigd, en daar staat straf op.'

'Ik zal het niet meer doen. Nu goed?', vraagt Tineke.

Gert geniet van de sfeer en de kameraadschap hier deze avond. Wat is er mooier dan je in een dergelijke sfeer te ontspannen?

'Tim, durf je het aan nog een keertje handje te drukken?', vraagt Lars.

'Natuurlijk', zegt Tim, die iets te snel opstaat en zijn stoel iets te hard naar achteren schuift. 'Laat mij maar eens op jouw plek zitten, mannetje.'

'Prima', zegt Lars. 'Dan ga ik op de plaats zitten waar jij de vorige keer zat. Dan zijn de omstandigheden zo eerlijk mogelijk.'

Gert is benieuwd wat Lars er nu van terechtbrengt. Hij begrijpt niet dat Lars net gewonnen heeft en nu zo rustig blijft. Volgens hem heeft hij een of ander foefje gebruikt of heeft hij gebruik gemaakt van een moment van onoplettendheid van Tim. Gert is er nog steeds verbaasd over hoe makkelijk Tim van hem won, terwijl hij onder leeftijdgenoten in het dorp altijd een van de sterksten was.

Het gaat deze keer nog sneller dan de vorige. Tim houdt nog geen tien seconden stand. Dan gaat zijn hand langzaam maar zeker omlaag. Wanneer zijn hand op de tafel ligt, trekt hij die snel terug, kijkt zijn tegenstander bewonderend aan en zegt: 'Ik dacht dat ik sterk was, maar ik moet het tegen jou afleggen. Hoe kom jij zo sterk?'

Ze lachen allemaal, blij dat Tim zijn verlies opnieuw sportief opneemt.

'Gewoon, iedere dag trainen', lacht Lars.

'Echt, ik snap niet dat jij zo sterk bent. Er zijn er hier niet veel die van me kunnen winnen, omdat ik gewend ben met die zware straatstenen te werken, en dan kom jij ... Jij hebt thuis natuurlijk heel veel koeien met de hand gemolken. Of je oppert in de bouw of je hebt een sportschool.'

'Ik heb nog nooit een koe met de hand gemolken, ik werk ook niet in de bouw en ik heb geen sportschool', zegt Lars. 'Dus daaraan kan het niet liggen. Ga eerst maar eens iets halen. Dan praten we daarna verder', vervolgt hij breed grijnzend en genietend van de overwinning.

Zodra Tim terug is, vraagt hij opnieuw: 'Hoe kom je zo sterk?'

'Pindakaas eten, jochie.'

'Dat heb ik al gedaan vanaf mijn vijfde jaar, en het heeft niet genoeg geholpen om het van jou te winnen. Wat heb je nog meer gedaan?'

'Heel eenvoudig', zegt Lars. 'Ik kom uit een sterk Fries geslacht. Dat is nog eens iets anders dan Zeeuwen of boertjes van de Veluwe.'

'Ammenooitniet', antwoordt Tim. 'Ik kom uit een sterk Brabants geslacht. Dat zegt niks, jongetje. Het gaat erom hoe jij zo sterk geworden bent. Heb je ook veel Brinta gegeten toen je jong was?'

'Ook dat. Wij mochten vroeger geen hagelslag op brood, maar moesten iedere dag pindakaas en Brinta eten, net zo lang totdat ik mijn vader van de grond kon tillen.'

Iedereen begint te lachen.

Wanneer ze uitgelachen zijn, wordt Lars serieus. 'Weet je wat ik veel doe waardoor ik zo sterk ben?', vraagt hij. En daarna vervolgt hij meteen: 'Ik houd me veel bezig met polsstokspringen.'

'En krijg je daar zulke sterke handen van?', vraagt Marit, die naast Tineke zit, ongelovig.

'Ik nodig jou en Tim uit om een keer mee te gaan.'

'Je bedoelt met een stok over een sloot springen?', vraagt Marit. 'Het lijkt me wel leuk, maar ik kan me niet voorstellen dat je daar sterk van wordt.'

'Weet jij hoe je over een sloot van vijftien meter kunt springen?'

'Oeps, vijftien meter. Vijf zul je bedoelen.'

'Nee, je oren zijn goed. Vijftien meter, zei ik. Weet je niet hoe je dat doet? Nou, je hebt een meterslange polsstok in het water staan, die je na een aanloop over een vlonder vastpakt. En dan komt het. Dan klim je razendsnel meters omhoog in die stok en dan spring je naar de overkant en dan kom je best een eindje verder neer, ja. Ik weet niet of jullie wel eens in een touw omhoog geklommen zijn met de gymles?'

De meesten knikken, Gert ook.

'Ik kan je verzekeren dat in een touw klimmen niets is in vergelijking met het omhoog klimmen langs die polsstok. Daar moet je heel sterke armspieren voor hebben en steeds blijven oefenen. Ik heb op mijn kamer een oefenpolsstok staan, en daar klim ik elke dag een flink aantal keren in.'

'Waarvoor doe je dat, Lars?', vraagt Tineke.

'Heel eenvoudig. Ik ben lid van een polsstokspringclub, en ik wil dit seizoen graag kampioen worden.'

'Volgens mij word je het wel', zegt Tim, terwijl hij een keer over zijn polsen wrijft om te laten merken hoe Lars zijn botten gekraakt heeft.

'Als iemand hier meer van polsstokspringen wil weten, of als iemand wil zien hoe je springt, moet hij maar eens op de site kijken.'

Wanneer Gert weer naar Bianca kijkt, ziet hij dat zij op hetzelfde ogenblik naar hem kijkt. Gert is er vanaf dat moment van overtuigd dat de vonk overgesprongen is. Hij blijft net iets langer naar haar kijken dan nodig is. Vooral haar mooie donkere ogen fascineren hem.

'Hé, Gert, lust jij nog iets, of heb je al te veel op?'

'Jazeker. En of ik nog iets lust. Hoe later op de avond, des te meer dorst ik krijg', zegt Gert, die hoopt dat Bianca hem om deze woorden bewondert. Hij zal vanavond laten zien hoeveel bier hij op kan, zonder onvast op zijn benen te staan. In het dorp stond hij erom bekend dat hij iedereen onder de tafel kon drinken. Het is een van de dingen die hem populariteit bezorgd hebben. Waarom zou dat hier anders zijn?

Een kwartier later vraagt Bianca hem over de boerderij waar hij vandaan komt. Gert heeft er nu geen moeite mee over zijn afkomst te vertellen. Hij vertelt van de boerderij te midden van de Veluwse bossen, van de koeien en van de koeienziekte BSE, die enige jaren geleden hun koeien getroffen heeft. Hij begrijpt zelf niet hoe het komt dat hij zo veel vertelt, want zo'n prater is hij doorgaans niet. Meestal is hij aan het computeren, zit hij te lezen of luistert hij naar anderen terwijl ze een biertje drinken, en maakt hij slechts af en toe een opmerking. Komt het door Bianca of door de goede sfeer?

Na hem vertellen anderen over hun thuis, en nadat iemand nog een rondje gegeven heeft, komt het gesprek op het geloof. Lars en Marit komen uit een protestants-christelijk gezin, vertellen ze. Gert wil graag weten of Bianca kerkelijk is, maar ze laat zich er niet over uit. Marit vraagt hoe Gert erover denkt.

Hij voelt zich vanbinnen verstarren, maar laat niets merken. Hij haalt zijn schouders op, in de hoop dat ze zullen snappen dat hij er niet over wil praten. Het onderwerp is voor hem niet bespreekbaar. De anderen zullen niet te weten komen hoe hij zich voelt en hoe hij erover denkt.

'Nou, Gert, we horen je helemaal niet. Was het bij jullie thuis daar op de Veluwe zo erg?', vraagt Tim, een beetje spottend.

'O, nee, dat niet, maar je bent toch niet verplicht overal iets over te zeggen? Vrijheid, blijheid, zeg ik maar.'

'Ik krijg de indruk dat het bij jullie thuis niet zo gezellig was. Daarnet hadden jullie het al over die godsdienstige Veluwe, en nu zeg je niks. Ik trek gewoon mijn conclusies.'

'Wat jij doet, moet je natuurlijk zelf weten, maar ik vind het dom van jou zo snel conclusies te trekken. Als je zo doet op school, zou het met je studie wel eens fout kunnen gaan. Je hebt net verloren met handje drukken, en nu wil je je zeker afreageren. Dat zou ik niet doen.'

'Ga even ruzie maken', zegt Tim, een beetje opgewonden. 'Zeg, ik heb niks tegen jou, hoor, maar je moet wel sportief doen. Heb ik mijn verlies sportief genomen of niet? Zeg nu zelf.'

'Gert, je moet dimmen', zegt Lars. 'Tim maakte helemaal geen verkeerde opmerking, want ik dacht aan hetzelfde. Je kunt toch gewoon zeggen of je uit een godsdienstig gezin komt of dat ze bij jullie nergens aan doen? Het is toch algemeen bekend dat veel boeren op de Veluwe een zware godsdienst hebben? Nou, daar is niks mis mee. Het is in ieder geval hun zaak. Iedereen mag zijn eigen godsdienst hebben. Ik zeg er ook niets van als iemand moslim

is. Maar ik vind wel dat je eerlijk voor je mening moet uit-
komen.'

'Doe ik dat dan niet?', vraagt Gert beledigd.

'Ik vind van niet, eerlijk gezegd. Marit vroeg jou hoe het
bij jullie thuis was, en toen zei jij niks. Je moet natuurlijk
zelf weten hoe je erover denkt, maar je kunt toch wel gewoon antwoord geven? Desnoods zeg je dat je daar niet
over wilt praten.'

'Ik wil zelf weten of ik antwoord geef of niet. Daar heb
jij niks mee te maken.'

Lars glimlacht maar eens en zegt: 'Doe nou niet zo fel,
zeg. Ik verwijt je toch helemaal niets? Ik vind juist dat
iedereen erbij hoort en dat iedereen zijn mening moet
kunnen zeggen, ook al houdt hij of zij er andere denkbeelden op na dan anderen. Je mag van mij net zo zwaar zijn
als je zelf wilt, als je je maar aanpast aan de groep.'

'Het is juist interessant als iemand aparte denkbeelden
heeft', voegt Marit eraan toe. 'De diversiteit aan mensen
maakt de samenleving juist zo boeiend. Als we allemaal
openstaan voor de mening van anderen, krijgen we een
vreedzame wereld, maar als we zo doen als jij, Gert, wordt
het nooit wat.'

'Ik zeg wat ik zeg, ik zwijg wat ik zwijg. Als jullie het daar
niet mee eens zijn, moeten jullie dat zelf weten', zegt Gert
op vastberaden toon. Hij heeft dergelijke situaties wel
meer meegemaakt en ze zullen niets over zijn innerlijk te
weten komen.

'Nou, nou.'

'Volgens mij kan hij niet zo goed tegen bier', zegt Tim.
'Het is goed dat we het weten. Dan kunnen we hem in het
vervolg af en toe een keer overslaan. Het geeft niks, hoor,
want iedereen mag zijn zoals hij is, ook onze Gert.'

'Ik wil dat je niet meer zo praat, want dan krijg je met

het boertje van de Veluwe te maken', zegt Gert, die zich rood voelt worden. Hij merkt dat hij iets minder gemakkelijk tegen deze lui op kan dan tegen zijn vrienden in het dorp, die hij stuk voor stuk overblufte doordat hij verbaal sterker was.

'Houd op, Tim', zegt Marit.

Ze heeft op een of andere manier gezag, want Tim houdt er inderdaad over op, en ze praten ergens anders over.

Voor Gert is de avond, die zo goed begonnen was, bedorven, maar hij heeft zich nog nooit laten kennen, en dat zal hij nu ook niet doen. Wanneer er weer bier gedronken wordt, doet hij mee, en wanneer er gelachen wordt, lacht hij mee. Niemand krijgt hem klein.

Gelijk met de anderen stapt Gert op. Hij loopt met stevige stappen tussen de anderen naar zijn fiets. Tenminste, dat denkt hij aanvankelijk, maar tijdens het lopen merkt hij dat hij iets meer moeite moet doen om overeind te blijven dan gewoonlijk. Waar had hij zijn fiets ook weer neergezet? Gert loopt langs het bijna lege fietsenrek en kan toch zijn fiets niet vinden. Even schiet de gedachte door hem heen dat hij gestolen is, maar net op tijd ziet hij hem staan, een stukje van de andere vandaan. Het is in dat gedeelte ook zo donker. Met enige moeite wurmt hij zijn fietssleutel uit zijn broekzak tevoorschijn en probeert hij het slot open te krijgen, maar dat lukt niet. Misschien moet hij het sleuteltje omdraaien. Dat helpt niet. Ook dan krijgt hij het niet in het slot. Het blijft ergens steken. Dat is hem nog nooit overkomen. Gert wil harder duwen, maar beseft dat dan de kans bestaat dat het sleuteltje breekt. Dan is hij nog verder van huis. Hij wil het sleuteltje uit het slot trekken, maar ook dat lukt niet. Paniek dreigt toe te slaan in zijn hoofd, maar hij weet zich te beheersen en trekt nog eens. Nee, het lukt echt niet. Is het eigenlijk wel zijn eigen fiets? Gert kijkt naar het zadel, waaraan hij zijn fiets altijd herkent. Zijn zwarte zadel is voorzien van een kleine rode reflector in het midden. Zijn hand glijdt over het zadel, maar hij voelt de reflector niet. Dan is het dus niet zijn fiets.

Gert draait zich om en loopt de andere fietsen nog een keer langs.

De deur van de school gaat open.

Gert ziet een meisje naar buiten komen. Wanneer ze dichterbij komt, merkt hij dat het Bianca is. Hij had er net niet op gelet dat zij nog niet weg was.

Bianca heeft blijkbaar in de gaten dat er iets mis is, want ze komt naar hem toe lopen en vraagt wat er aan de hand is.

'Ik kan mijn fiets niet vinden', zegt Gert. 'Ik heb hem altijd daar staan, maar daar stond hij nu niet. Misschien is hij gestolen of hebben de anderen hem voor de grap meegenomen.'

'Nee, dat doen ze niet', zegt Bianca beslist. 'Niemand gaat aan het eind van de avond voor de grap een fiets van een ander meenemen. Joh, ik help je wel even zoeken. Wat is het voor soort fiets?'

'Het is een donkerblauwe Batavus, waarvan het zadel voor mij het meest herkenbaar is. Dat heeft een kleine reflector aan de achterkant.'

'Ik heb een zaklampje bij me.' Bianca haalt uit haar broekzak een sleutelbos tevoorschijn, waaraan ook een kleine zaklamp zit. Ze richt het licht op het zadel van de voorste fiets en constateert dat die het niet is. 'Weet je wat,' zegt ze daarna, 'ik loop langs de fietsen en schijn op de zadels en jij zegt ja of nee.'

Wanneer ze ongeveer op de helft zijn en een stuk of

twaalf fietsen gehad hebben, heeft Gert alleen nog maar 'nee' gezegd. Hij vraagt zich af wat hij moet doen als zijn fiets er niet bij is. Geen zorgen voor de dag van morgen, want de achttiende of de twintigste fiets is de zijne. Wanneer hij 'ja' gezegd heeft, wil hij snel zijn fietssleutel pakken, maar dan merkt hij dat hij die niet in zijn broekzak heeft. Hoe kan dat nu? Daarnet had hij hem toch? Hij voelt even in de andere broekzak, maar ook daar kan hij geen sleuteltje vinden. Het is me een mooie boel! Nu krijgt hij de gelegenheid om Bianca te spreken en nu schuttert hij zo ...

'Beetje te veel gedronken?', vraagt ze vriendelijk.

Gert schudt zijn hoofd. Het dringt tot hem door dat ze er niet zo veel van gezien zal hebben, omdat het hier nogal donker is.

'Ja of nee?'

'Absoluut niet.'

'Hoe kan het dan?', vraagt Bianca.

'Daarnet had ik het sleuteltje in mijn hand.'

'Misschien heb je het op de grond laten vallen toen je mij zag aankomen.' Het komt er een beetje plagend uit ...

'Wacht. Ik loop wel even terug naar de plek waar je net stond.' Bianca zoekt even, maar kan het sleuteltje ook niet vinden. Dan zegt ze: 'Joh, ik zag je net bij die fiets staan. Wat was daarmee?'

Gert slaat zich tegen het hoofd en zegt: 'Dat is waar ook. Ik kon het sleuteltje niet uit het slot krijgen.'

'Zal ik even voor je kijken, Gert?'

Bianca buigt zich over de fiets en voelt het sleuteltje al snel. Ze morrelt even en dan heeft ze het in haar hand, waarna ze zegt: 'Kom, ik maak jouw slot wel even open. Daarna pak ik mijn fiets, en dan rijden we samen een stukje op.'

Bianca heeft kennelijk wel vaker met dergelijke sleuteltjes gewerkt, want in no time weet ze het slot open te krijgen.

'Bedankt', brengt Gert er wat schutterig uit.

Wanneer ze naast elkaar fietsen, kijkt Gert haar aan in het licht van de straatlantaarns. Er komt een onweerstaanbaar verlangen bij hem op. Wat is ze knap en aantrekkelijk. 'Heb je zin om met me mee te gaan naar mijn kamer?', vraagt hij plompverloren.

'Nu niet. Weet je wel hoe laat het is? Het is halftwee geweest, en morgen moet ik weer op tijd op school zijn.'

'Kan ik iets terugdoen voor de moeite die je voor me gedaan hebt?'

'Het was helemaal geen moeite. Ik heb alleen maar je fiets en je sleuteltje opgezocht. Die zou je zelf ook wel gevonden hebben als ik niet gekomen was.'

'Mag ik het nummer van je mobiel?'

'En dan ga je mij zeker iedere keer bellen? Dank je de koekoek!'

Gert tast snel zijn hersens af naar een mogelijkheid om met haar in contact te blijven. Zo dadelijk is ze weg, en dan ziet hij haar misschien helemaal niet meer. 'Kan ik je dan een kaartje voor de bioscoop aanbieden? Binnenkort draait *Zwartboek* van Paul Verhoeven. Ze zeggen dat het een geweldige film is.'

'Die wil ik wel eens zien. Wat wil je afspreken?'

'Als je het nummer van je mobiel geeft, stuur ik je een sms'je met de datum en de tijd.'

'Ik heb toch gezegd dat ik dat niet doe. Zoiets moet je niet nog een keer vragen. Weet je wat? Geef me jouw nummer maar. Dan neem ik wel contact op.'

Gert beseft dat de mogelijkheid bestaat dat hij niets van haar zal horen, maar als ze hem wel belt, heeft hij meteen haar nummer. Het is een beetje een gok, maar hij kan niet anders dan op het voorstel ingaan.

'Hier moet ik rechtsaf. Tot horens', zegt Bianca.

7

Het komt allemaal goed. Bianca heeft hem gebeld om een afspraak te maken, waardoor hij meteen haar mobiele nummer kon opnemen.

Gert heeft al veel over de film *Zwartboek* gezien. Overal zie je billboards met reclame, en hij heeft er ook het nodige over gelezen. Het schijnt een heel realistische film te zijn over de oorlog. Gert is blij dat hij in de stad woont, want dan heeft hij tenminste geen last van zijn ouders, die het kijken naar die film zeker zouden verbieden, niet om *Zwartboek*, maar omdat ze tegen alle films zijn. Volgens hen vond Calvijn het ook niet goed. Kun je nagaan, Calvijn nota bene. In diens tijd waren er nog helemaal geen films. Zo gaat het thuis altijd. Ze beroepen zich op de traditie en op mensen van vroeger, en ze hebben niet in de gaten dat de tijd heel anders is geworden. Gert heeft de bioscoop meer dan eens bezocht, ook toen hij nog thuis woonde, en hij is tot de conclusie gekomen dat er niets mis mee is, als je tenminste de goede films uitkiest. Je kunt juist veel leren over de karakters van de personen door de realistische situaties die ze uitbeelden. Het is hetzelfde als met de televisie. Hij heeft, sinds hij televisie heeft, gemerkt dat je daardoor veel meer van de wereld leert kennen. In het begin keek hij inderdaad met een opgewonden gevoel in de late uurtjes naar elke seksueel getinte film die hij maar te zien kon krijgen. Maar toen het nieuwtje eraf was, is hij doelgericht gaan kijken en heeft hij de wereld beter leren kennen. Het heeft hem heel wat opgeleverd: op school kan hij bijna overal over meepraten.

Vrijdagavond halfacht. Hij hoeft niet op haar te wachten, want wanneer hij een paar minuten te vroeg – voor zijn doen heel bijzonder – arriveert aan het begin van de Hoofdstraat, staat ze al op hem te wachten. Hij ziet meteen dat ze zich mooi opgemaakt heeft, niet alleen rondom haar ogen, maar ook haar lippen zijn iets aangezet, en ze ruikt heerlijk. Wat een aantrekkelijke meid.

'Ha, Gert,' roept ze, blijkbaar blij hem te zien, 'ben je er al?'

'Ja, ik ben er al, maar jij bent er nog vroeger.'

'Ik had wat tijd over en ik dacht: laat ik maar vast gaan. Ik ben heel vaak laat, hoor', voegt ze eraan toe.

Wanneer Gert zijn fiets op slot gezet heeft, draait hij zich om. Dan ziet hij weer hoe onweerstaanbaar ze is: mooie, lange, zwarte haren, prachtige donkere ogen, sportieve spijkerbroek en schoenen met een klein hakje. Ze heeft zich speciaal voor hem zo mooi gemaakt, gaat het door hem heen. Het geluk valt hem in de schoot.

Hij weet zich, wanneer hij naast haar loopt, niet goed een houding te geven. Hij zou haar het liefst willen aanraken, haar een hand willen geven of zo, maar daar schaamt hij zich voor. Hoe vaak heeft hij Annelies niet uitgelachen omdat ze hand in hand liep met Peter? Hij vond het iets voor een speciaal soort stellen. Hij laat zijn verstand heersen over zijn gevoel, ook al omdat hij weet dat de kans bijna honderd procent is dat ze haar hand zal terugtrekken. Hij moet gewoon een geschikt moment afwachten. Dat zal wel komen tijdens of na de film.

De bioscoop is een groot, hoog gebouw met in heldere letters *Cinema* erop en met een blauwe lijnverlichting langs de hele zijkant, die het gebouw onmiddellijk doet opvallen. Bij de ingang staan grote billboards met de films die deze week vertoond worden. Eén daarvan is *Zwartboek*. Hij ziet de bekende plaat van het meisje dat bij een jongen achter op de fiets zit met haar rok omhoog. Ze rijden voorbij een groep marcherende soldaten, die verlekkerd naar de twee kijken.

Het is druk. Er staat een hele rij mensen voor de kassa, vooral jongeren. Gert maakt zich een beetje zorgen dat hij niet gereserveerd heeft. Hij heeft pas gelezen dat *Zwartboek* enorm veel kijkers trekt, maar tot nu toe heeft hij nog nooit meegemaakt dat hij geen kaartje kon kopen. Het meisje bij de kassa zegt dat ze geluk hebben, omdat de zaal bijna uitverkocht is. Gert koopt twee kaartjes, voor hemzelf en voor Bianca. Het komt niet bij hem op Bianca zelf een kaartje te laten kopen.

Hij kijkt even op zijn kaartje: zaal twee, rij drie. Logisch dat ze vooraan zitten. Ze mogen blij zijn dat ze een plaats hebben. Ze zijn op tijd en moeten nog even wachten voordat de zaal opengaat. Ze staan midden in een grote massa. Soms komt Gert tegen Bianca aan, wat hem een plezierig gevoel bezorgt. Zij raakt hem niet expres aan, merkt hij. Wanneer het hekje voor hun zaal, nummer twee, opengaat, drommen de mensen naar de ingang. Het is wel gemakkelijk dat het druk is. Dan kunnen ze gewoon in de stroom meelopen.

Ze lopen naast elkaar de filmzaal binnen, die een supergroot scherm heeft en waar mooie rode stoeltjes uitnodigend staan te wachten. De zaal is al bijna vol. Ook op de derde rij zitten al heel wat mensen. Daar ziet hij hun plaats. Op het scherm is nog niets anders te zien dan reclame voor plaatselijke bedrijven.

'Ken jij de film?', vraagt Bianca zachtjes.

Gert draait zijn hoofd naar haar toe en wordt opnieuw getroffen door haar mooie ogen. 'Ik heb er iets over gelezen', antwoordt hij. 'Ze zeggen dat die Paul Verhoeven erg goed is, en dat dit zijn beste film is. Hij schijnt vroeger ook oorlogsfilms gemaakt te hebben en daarna lange tijd in Amerika gewoond te hebben. En hij is nog maar kort terug in ons land. In de kranten vonden ze het allemaal een geweldige film.'

'Ik hoop dat er niet al te veel geweld in voorkomt', zegt Bianca.

'Waarom ga je dan mee?'

'Ik wil *Zwartboek* graag zien, omdat iedereen het erover heeft.'

'Wat wil je dan in een oorlogsfilm?'

'Ik heb niets tegen geweld in films. Het hoort erbij. Dat begrijp ik wel. Maar soms zie je films waarin het alleen maar om geweld gaat. Ik vind het in de eerste plaats belangrijk dat de acteurs hun rol goed spelen en dat de psychologie klopt. Ik heb de film *Saving private Ryan* gezien, een prachtige realistische film, waarin de scènes heel levensecht waren en de rollen goed gespeeld werden, maar ik werd toch niet goed van al dat schieten. Er was een scène bij waarin een Duitser een dolk in de borst stak van een Engelsman die zich wanhopig probeerde te verdedigen. Zijn bewegingen werden al zwakker en zwakker, en ten slotte stierf hij. Ik heb ook nog steeds het beeld op mijn netvlies van die man die getroffen werd door een granaat en wiens hele buik openlag. Maar toch vond ik de film mooi, omdat het gaat over de herinneringen van een oude man die veel meegemaakt heeft. Zoiets kan in ieders leven gebeuren.'

'Die film heb ik ook gezien. Ik vond hem prachtig. Zo is de oorlog. Maar je moet je natuurlijk niet alles aantrekken. Doe jij dat dan?'

'Soms wel, maar meestal valt het wel mee, hoor. Er is

ook iets in oorlogsfilms wat me aantrekt. Misschien is dat wel het realistische. Joh, het gaat beginnen.'

Een medewerker van de bioscoop loopt de zaal in tot in het midden van het gangpad en deelt mee dat zo dadelijk de film *Zwartboek* van regisseur Paul Verhoeven gaat draaien, die op de nominatie staat voor een Oscar.

Dan wordt het donker in de zaal en draait er eerst een kort filmpje met een trailer van een andere oorlogsfilm, die Gert niet kent.

Gert vergeet de wereld om zich heen wanneer de film begonnen is. Hij heeft zelfs niet in de gaten dat hij naast Bianca zit. De scènes in het begin zijn voor hem heel herkenbaar. Een joods meisje is ondergedoken bij een Brabantse boer en moet een Bijbeltekst opzeggen voordat ze te eten krijgt. Hoe kan die boer haar dat nou aandoen? Het lijkt wel bij hen thuis. En dan te bedenken dat die vrouw niet eens christelijk is, maar joods. Je kunt een jodin toch niet dwingen tot je eigen geloof? Ineens vraagt hij zich af wat zijn vader en moeder zouden doen als er een joodse onderduiker bij hen in huis zou komen.

De vrouw, Rachel Stein, wil samen met anderen naar bevrijd gebied vluchten, maar de groep wordt door de Duitsers ontdekt, en alleen Rachel weet te ontkomen aan de Duitsers. Ze trekt de wereld in en komt terecht in Den Haag, waar ze besluit het verzet te helpen door een dubbelrol te spelen. Onder de naam Ellis de Vries komt ze in contact met een belangrijke Duitse officier. Een plan om gevangengenomen verzetslieden te bevrijden met hulp van Ellis mislukt jammerlijk. De jodin krijgt zowel van de Duitsers als van het verzet de schuld en ze komt in een heel moeilijke positie terecht. Ze probeert erachter te komen wie de actie verraden heeft. Ellis wordt echt verliefd op de Duitse officier, die een trauma heeft opgelopen, en deelt met hem niet alleen het bed, maar duikt ook samen met hem onder om het einde van de oorlog af te wachten, wat haar geen echte vrijheid brengt.

Filmbeelden van bombardementen, schietende Duitsers, hoofden vol bloed en het schokkende beeld van de hoofdpersoon die snikkend uitroept: 'Houdt het dan nooit op?', blijven in Gerts hoofd achter. De oorlog is geen pretje, en het is geen wonder dat er in de film gevloekt wordt, want je kunt zo'n rauwe werkelijkheid toch niet weergeven zonder vloeken?

Gert heeft vreselijk veel medelijden met Ellis, die van het ene in het andere probleem verzeild raakte, zonder dat ze er iets aan kon doen. Je vraagt je af wat het verschil tussen goed en slecht is. De Duitsers werden gedwongen te vechten, en de Nederlandse verzetslieden hadden ook niet altijd even edele bedoelingen. Ellis de Vries is niet de enige die het verschil tussen goed en kwaad niet goed meer weet. Dat is nog steeds zo. In de oorlog merk je dat natuurlijk het duidelijkst, maar ook nu gaat het op. Je kunt niet zomaar zeggen dat mensen die naar de kerk gaan, beter zijn dan mensen die dat niet doen. Wat is het verschil tussen goed en kwaad? Je komt er niet met de Bijbel op schoot, zoals die boer die vond dat de onderduikster Bijbelteksten moest leren. Die Duitse officier kon er ook niet meer tegen, en hij was ook zo slecht niet. Was het dan verkeerd van Ellis op hem verliefd te worden? Mensen die altijd aan de kant blijven staan, kunnen wel een precieze mening hebben over wat goed en wat slecht is, terwijl ze zelf niets doen. Het is bekend dat veel zware christenen in de oorlog de joden niet hielpen omdat ze vonden dat je de overheid moest gehoorzamen, en die overheid was de Duitse. Het is het beste dat iedereen voor zichzelf probeert uit te maken wat goed en wat kwaad is in een bepaalde situatie, als een ander er maar geen last van heeft.

Ineens voelt Gert een hand op de zijne, en wanneer hij opkijkt, kijkt hij in het gezicht van Bianca, die zegt: 'Joh, waar denk je aan? De film is afgelopen, hoor.'

Met een schok keert Gert terug in de werkelijkheid.

'O, ik ...', zegt Gert, 'ik zat eraan te denken dat je niet kunt zeggen wat goed en kwaad is.'

'In de oorlog niet altijd,' zegt Bianca, 'maar in het dagelijks leven meestal wel. Ik heb in mijn leven heel wat kwaad, zoals jij het noemt, meegemaakt, en het verschil tussen goed en kwaad was voor mij altijd heel duidelijk.'

'Wat gaan we doen?'

'Als ik het voor het zeggen heb, wil ik voorstellen in een rustige gelegenheid iets te gaan eten en over de film na te praten.'

'Dat lijkt me een prima idee', zegt Gert.

Ze lopen bijna als laatsten naar de uitgang. Vóór hen loopt een groepje jongeren te schreeuwen, waaraan Bianca zich zichtbaar ergert.

Wanneer ze uit het gedrang vandaan zijn en weer buiten staan, laat Gert zijn gedachten gaan over een gelegenheid waar ze iets kunnen eten. Wat zou ze willen, vraagt hij zich af. Wil ze een snelle snack bij McDonald's of Burger King, of gaat ze liever naar de Chinees of naar een pizzeria? Daarvoor kent hij haar niet goed genoeg. Dus kan hij het haar beter vragen.

'Waar zullen we heen gaan?'

'Ik ga het liefst naar een gelegenheid met rustige klassieke muziek', zegt ze.

'Zo ken ik je niet', zegt Gert, die absoluut niet op dat antwoord gerekend had.

'Dan wordt het tijd dat je me zo leert kennen, want het is een heel belangrijke kant van me.'
'Weet jij een goede gelegenheid?'
'Loop maar mee.'

Het wordt een rustig restaurant met gezellige schemerlampjes en intieme hoekjes waar je ongestoord met elkaar kunt zitten praten en waar zachte klassieke muziek wordt gespeeld. Aan de wand hangen schilderijen van bekende gebouwen uit de stad, en op de tafeltjes staan brandende waxinelichtjes. Bij de bar bevindt zich een heer in een keurig donker pak, die hen beleefd verwelkomt. Zoiets is Gert absoluut niet gewend. Hij voelt zich niet zo op zijn gemak. Het is er redelijk druk met mensen die zachtjes praten. Gert kijkt rond en ziet in een hoekje een vrije plaats en vraagt of Bianca daar wil gaan zitten. Ze knikt een keer en dan laat Gert haar voorgaan naar het tafeltje en laat hij haar eerst een plaats kiezen. Ze hangen hun jassen over de stoelleuningen naast hen en kijken allebei de eetgelegenheid rond.
'Hier zitten we mooi', zegt ze.
'Hm.'
'Jij vindt van niet?'
'Nou ja, ik kom nooit in een dergelijke gelegenheid.'
'Wat doen we? Gaan we hier eten of niet?'
'Jij mag het zeggen. Ik betaal.'
'Dat vind ik aardig van iemand die hier nooit komt en dus ook niet weet hoe duur het is. Ik stel voor dat we niet al te uitgebreid eten. Zo vroeg is het niet meer. Het is halftien. Zullen we soep en brood bestellen met iets te drinken erbij?'
'Ik vind het prima', zegt Gert.
Wanneer de ober komt om de bestelling op te nemen,

bestelt Gert voor hen beiden tomatensoep en brood, een glas bier voor hemzelf en voor Bianca een glas appelsap. Gert kijkt haar in het schemerige licht aan. Hij weet dat het een goede keus geweest is tegenover haar en niet naast haar te gaan zitten, want dan kan hij haar makkelijk aankijken. Het sluike haar valt gedeeltelijk over haar schouders. Gerts ogen glijden naar beneden, naar haar hals en de ronding van haar borsten. Dan gaan zijn ogen terug naar haar gezicht. Hij ziet dat zij naar hem kijkt. Zou zij dezelfde gedachten hebben als hij?

Voordat hij iets gezegd heeft, begint Bianca te praten. 'Hoe vond jij de film?'

'Ik vond het een prachtige film met veel actie en een schets van het leven zoals het echt is. Het verschil tussen goed en kwaad is veel kleiner wanneer je het in het echt meemaakt dan je uit de verte zou zeggen. Neem Ellis en Müntze, die Duitse officier. In het begin denk je dat Ellis goed is, en die Duitser slecht, maar je merkt dat die Duitser er ook niets aan kan doen en dat hij een trauma opgelopen heeft van de oorlog. En je kunt je voorstellen dat Ellis verliefd op hem wordt.'

'Ja, maar dat wil niet zeggen dat er geen verschil tussen goed en kwaad is, want Ellis had al wel een paar verkeerde stappen gezet. Ze was al van plan met die Duitser naar bed te gaan. Er bestonden voor haar geen grenzen op dat gebied. Je kunt zeggen dat ze in die situatie terechtgekomen is, maar ik vind dat ze zichzelf erin gebracht heeft. De verliefdheid overkwam haar niet, maar ze vroeg erom. Vind je het gek dat de mensen van de verzetsgroep haar niet geloofden?'

'Toch vind ik haar sympathiek.'

Het gesprek stopt even wanneer de ober met het drinken komt.

Gert giet een gedeelte van het bier langzaam in zijn glas en kijkt hoe het schuim omhoog komt, precies tot de rand. Dan begint Bianca weer te praten. 'Ik vind Ellis ook sympathiek. Ja, ze heeft iets echts in zich. Je begrijpt heel goed waarom ze doet zoals ze doet, maar dat wil niet zeggen dat het moreel goed is. Er zijn trouwens nogal wat dingen die me in de film tegenstaan, bijvoorbeeld al dat gevloek en die overdosis geweld. Ze hadden daarvan best iets minder schokkende details mogen laten zien om de bedoeling toch duidelijk te maken.'

'Zo is het in het echt ook gegaan', zegt Gert, die moeite moet doen om niet te lachen.

'Dat kan wel zijn, maar het is niet de bedoeling van een film zo echt mogelijk te zijn. Meen jij werkelijk dat het verschil tussen goed en kwaad in het leven niet zo duidelijk is?'

'Vaak niet. Als ik in die tijd in Duitsland gewoond had, had ik vast en zeker ook meegedaan. Ik heb een tijdje geleden een boek gelezen. Dat heette *Hitlers gewillige beulen* en dat ging over mensen die joden moesten doden. Het waren keurig nette mensen, die gewoon in een rijtjeshuis woonden en op de fabriek werkten, maar toen ze als soldaat in Polen terechtkwamen, deden ze de vreselijkste dingen. Als ze een opdracht kregen van een officier, gingen ze gehoorzaam een Pools dorp binnen en schoten ze alle joden die ze tegenkwamen, overhoop, of ze namen hen mee naar een plaats waar de joden zelf een massagraf moesten graven en dan schoten ze hen door het hoofd. En als je denkt dat alleen Duitsers dat deden, heb je het mis, want de Engelsen hebben precies hetzelfde gedaan.'

'Dat zegt wel dat veel mensen tot slechte dingen in staat zijn, maar niet dat er geen verschil is tussen goed en kwaad. Ik denk dat het verzet in de film wel erg negatief is weergegeven. Er waren ook mensen bij het verzet met een hogere moraal.'

'Dat ben ik met je eens.'

'Volgens mij ben jij een heel serieuze jongen, die overal bloedserieus over nadenkt', zegt Bianca. Ze is de eerste die dit tegen Gert zegt. Het doet hem goed, omdat hij dat ook wel eens van zichzelf gedacht heeft.

'Waarom vind je dat? Mijn ouders vonden me niet zo serieus, en mijn zus en mijn broer ook niet.'

'Door je opmerkingen over de film. Wat je zei, bewijst dat je nadenkt over de dingen. Ik begrijp niet dat anderen jou niet serieus vinden. Meteen al de eerste keer, op die avond in de soos, vond ik je zo serieus, ook al dronk je toen ...'

'Wat ik zei over de film, was niets bijzonders.'

'Ik merkte dat je onder de indruk was, en ik vind het fijn erover na te praten. De meeste jongeren die een film zien, zijn binnen een paar tellen vergeten wat ze gezien hebben. Dat denk ik tenminste. Misschien valt het mee.'

'Ik heb anders vaak met mijn ouders in de clinch gelegen omdat ze mij zo weinig serieus vonden.'

'Ik kan het me niet voorstellen', zegt Bianca.

'Toch is het zo', houdt Gert vol. 'Waarom wil je dat trouwens zo graag weten? Jij studeert zeker iets wat met psychologie te maken heeft?'

'Ik doe de opleiding SPH, sociaalpedagogische hulpverlening, en ben geïnteresseerd in mensen. Maar je moet niet denken dat ik in jou een soort studieobject zie.'

'Gelukkig, ik dacht al ...'

Het gesprek hapert. Gert is blij dat een meisje met de soep en het brood komt. Ze laten alles netjes voor zich neerzetten. Het meisje wenst hun smakelijk eten, en dan denkt Gert een ogenblik dat hij moet bidden voor zijn eten. Het is vreemd dat die gedachte in hem opkomt, want dat doet hij al sinds hij op kamers is, niet meer.

'Heel veel jongeren verstoppen zich achter een masker, maar zo ben jij niet', zegt Bianca wanneer ze aan hun soep begonnen zijn. 'Jij doet je niet beter of slechter voor dan je bent. Dat spreekt me wel aan. Ik houd van eerlijkheid.'

'Laten we het daar maar op houden', zegt hij lachend. Hij voelt zich warm worden, en dat komt niet alleen door de soep. Hij heeft altijd geprobeerd oprecht te zijn en niet te huichelen, en dat is door de mensen uit de buurt waar hij vandaan komt, niet opgemerkt. Daarom ging hij tegen zijn vader en moeder in, en daarom deed hij zoals hij deed. Thuis was zo veel traditie. Dat kan soms best goed zijn, maar als je er zonder nadenken aan blijft vasthouden, kan het huichelen worden.

Gert heeft de neiging Bianca van alles te vertellen over thuis, maar de woorden willen niet komen.

'Waarom zeg je niets?', vraagt ze met zachte stem.

'O, ik dacht eraan dat ik altijd probeer eerlijk te zijn, maar dat het in mijn omgeving niet gewaardeerd werd', zegt hij een beetje bitter.

Ze merkt de toon in zijn stem op en zegt: 'Volgens mij heb je veel meegemaakt. Zijn je ouders uit elkaar of zo?'

'Helemaal niet.'

'En toch is er iets met je. Ik hoor het aan je stem. Hoe kwam het dat je met je ouders in de clinch lag? Waren ze misschien net zulke serieuze mensen als jij, maar dan met andere ideeën, en lagen jullie daardoor met elkaar over-hoop?'

'Veel serieuzer. Ze waren wel tien keer zo serieus als ik.'

'Dat kan niet. Ik kan me niet voorstellen dat iemand serieuzer is dan jij.'

'Dan ken je mijn moeder niet.'

Ze gaat verder, terwijl ze hem in de ogen kijkt: 'Er zijn heel wat jongeren die problemen hebben, en het is goed over je problemen te vertellen, maar je moet het natuurlijk wel zelf willen.'

'Ik ben geen type dat het nodig heeft geholpen te worden. Ik red mezelf wel.'

'Hoe kom je erbij te denken dat ik denk dat jij geholpen moet worden? Dacht je soms dat ik daarom hier zit? Ik wil gewoon een serieus gesprek voeren.'

'Heb jij ook problemen gehad thuis?'

'Dat wel, en ik wil daar best over vertellen, want waarom zou ik daar geheimzinnig over doen?'

Gert lepelt zijn laatste soep op, smeert daarna wat kruidenboter op zijn brood en zegt: 'Zullen we eerst nog iets te drinken bestellen?'

'Mij best.'

Gert wenkt het meisje dat bij de kassa staat en vraagt of ze nog een keer drinken kunnen krijgen. Hij bestelt bier en zij doet hetzelfde.

'Heb jij een akelige jeugd gehad?', vraagt hij.

Die vraag is voldoende om haar aan het praten te krijgen. Ze vertelt aan één stuk door. 'Ik had een rotjeugd', zegt ze. 'Mijn vader had helemaal geen belangstelling voor me, en mijn moeder alleen wanneer het haar uitkwam. De ene keer was ze heel aardig, maar het kon de volgende dag gebeuren dat ze zomaar uitviel tegen mij en mijn broertje dat twee jaar jonger is. Dan was het voor ons het beste in de zandbak bij de flat te gaan spelen. Ik weet niet meer hoe alles precies voelde in die tijd, maar ik weet wel dat ik vaak zat te huilen of dat ik gewoon nergens zin in had. Wist ik toen veel dat dat alles met mijn vader te maken had. Mijn vader was een tiran. Hij bemoeide zich bijna niet met ons, behalve wanneer hij last van ons had. Als hij vond dat we te veel lawaai maakten, schreeuwde hij heel hard tegen ons. Dat deed hij ook tegen mijn moeder, maar omdat ik niet wist hoe het in andere gezinnen toeging, vond ik het normaal. Later kwam ik erachter dat mijn vader ook in bed een tiran was. Mijn moeder moest op seksueel gebied al zijn grillige eisen inwilligen, en als ze dat niet wilde, sloeg of misbruikte hij haar. Ik hoorde mijn moeder wel eens huilen op de slaapkamer, en daarna hoorde ik dan zijn harde stem weer. Op zulke momenten ging ik met mijn hoofd onder de dekens om maar niets te horen, want ik had wel in de gaten dat er iets niet goed was, maar ik wilde het niet weten. Tegenwoordig hebben ze het allemaal over seks, en het zal allemaal best waar zijn wat ze zeggen, maar ik heb de andere kant gezien, en daar word je niet blij van. Ik ben daarna over het verschijnsel gaan lezen. Als je in de gaten krijgt wat er allemaal aan de hand is ...'

Even stopt ze met haar verhaal om een slokje bier te nemen. Dan kijkt ze Gert aan, waarschijnlijk om te zien hoe haar woorden overgekomen zijn.

Gert kan haar laatste woorden niet helemaal plaatsen, al begrijpt hij wel wat ze bedoelt. Het is eigenlijk wel logisch dat te bedenken. Net als alle dingen kan het ook bij seks verkeerd gaan. Sommige mensen zijn te preuts, en anderen slaan te ver door naar de andere kant. Hij kan zich voorstellen dat er iets fout gaat als een man wel seks wil, en zijn vrouw niet. Een lichte teleurstelling komt bij hem boven, omdat hij vermoedt dat zij op dat gebied wel eens afstandelijk zou kunnen zijn, maar hij laat niets merken en kijkt haar niet rechtstreeks aan.

Ze vervolgt haar verhaal. 'De sfeer in huis werd steeds slechter. Mijn broertje trok zich er – zo te zien – niets van aan en leefde zijn eigen leven, maar ik kon er niet meer tegen. Niet alleen huilde ik veel, maar ik werd ook steeds vervelender. Ik begon te klieren en maakte vaak ruzie met mijn broertje. Het gebeurde niet met opzet, het ging vanzelf. Toen ik ouder werd, kwam ik erachter dat de situatie bij ons in huis niet normaal was. Als ik een man en vrouw hand in hand zag lopen, was ik heel jaloers. Zulke ouders wilde ik ook hebben. Maar het werd bij ons erger in plaats van beter. Mijn vader was nogal eens naar het café om te drinken, en als hij thuis was, was hij vaak niet aanspreekbaar. Hij maakte steeds openlijker ruzie met mijn moeder. Hij sloeg haar soms waar wij bij waren. Ik heb het een keer voor mijn moeder opgenomen, en toen sloeg mijn vader mij van zich af en gooide me door de kamer. Je snapt wel dat ik echt geen leuke jeugd gehad heb. Volgens mij kwam het allemaal doordat hij seksueel te veel opgefokt was. Hij zat heel vaak seksfilms te kijken, en dan wilde hij zijn gevoelens op mijn moeder afreageren, die daar echter niet van gediend was en niet als lustobject gebruikt wilde worden.'

'Was je moeder knap?'

'Ze was heel knap. Daar zat het probleem misschien wel. Als ze niet zo knap geweest was, had ze misschien niet zo veel last gehad. Maar om verder te gaan: ten slotte kon mijn moeder er ook niet meer tegen op en is ze met mij en mijn broertje het huis uit gelopen. Mijn moeder wist niet goed waar ze heen moest, want we hadden geen familie waar we terechtkonden. Daarom ging ze op een morgen, toen mijn vader naar zijn werk was, naar het gemeentehuis. Daar hebben we in een kamertje gezeten, waar een grote poster aan de muur hing van een donkergele poes. Ik zal het nooit vergeten. Ik zie me nog zitten. Een ambtenaar heeft ons toen verwezen naar een blijf-van-mijn-lijfhuis. Die waren in die tijd in ons land in opkomst, omdat sommige mannen die hun vrouwen misbruikten, hen niet wilden laten gaan. In zo'n huis konden de vrouwen onderduiken, zogezegd, in de hoop dat hun mannen hun verblijfplaats niet te weten zouden komen. Je zou denken dat mijn moeder opgelucht was, toen ze daar was, maar dat was niet zo. Het was geen fijne tijd, omdat mijn moeder constant in angst zat dat mijn vader haar zou vinden en haar met geweld zou meenemen. Al is dat niet gebeurd, het betekende wel dat mijn moeder geen aandacht voor mij had. Ik voelde me er eenzaam. Achteraf zie ik dat mijn moeder heel zielig was, maar daar had ik toen niets aan.'

'Waren er geen andere kinderen om mee te spelen?'

'Jawel, genoeg. En ik heb ook dikwijls heel leuk gespeeld, maar er hing altijd een, ja, hoe moet ik het zeggen, een naargeestige sfeer om mijn moeder heen, en die kon ik niet van me af zetten.'

Terwijl Bianca verdergaat, vraagt Gert zich af waarom ze het verhaal van haar leven aan hem vertelt. Hij heeft er toch niet om gevraagd? Zou ze hem willen waarschuwen dat ze een triest leven achter de rug heeft en dat een verhouding met haar wel eens kan tegenvallen? Of zou het gewoon een type zijn dat met haar levensverhaal te koop loopt om aandacht te trekken? Of zou ze een psychische stoornis hebben? Of zou ze gewoon maar iets verzinnen? Dat laatste kan hij niet geloven, wanneer hij ziet hoe serieus ze kijkt.

Op hetzelfde moment kijkt Bianca hem in de ogen. Dan gaan zijn ogen van haar voorhoofd, via haar ogen, haar neus en haar mond naar haar hals met haar opvallende sleutelbenen. Zijn ogen blijven daarop gericht, maar zijn gedachten gaan verder naar beneden. Dan slaat ze haar ogen neer. Hij ziet haar mooie donkere wimpers. Wat een schoonheid!

'Ik heb daar voor mijn gevoel een slechte tijd gehad, en

dat was het ook. Mijn moeder was altijd met haar eigen verdriet bezig, totdat ze een andere man ontmoette. Toen maakte ze zich mooi voor hem en had ze weinig aandacht voor ons. O ja, ik vergat nog te vertellen dat we ongeveer een jaar in zo'n blijf-van-mijn-lijfhuis gebleven zijn en toen een flatje hebben gekregen in een stad die ik niet kende. Daar moest ik naar een andere school, waar ik nogal teruggetrokken was en het liefst zo weinig mogelijk contact had. Je begrijpt dat bij ons niet vaak vriendjes en vriendinnetjes over de vloer kwamen. Ik kreeg ook steeds minder contact met mijn broertje, dat zijn eigen leven leefde. Zo deed ik het ook. Op een dag kwam ik erachter dat leren leuk was. Op een bepaald moment was naar school gaan zelfs het liefste wat ik deed.'

'Dat kan ik me niet voorstellen', grinnikt Gert.

'Leer jij niet graag?'

'Ik heb er geen hekel aan, maar om nou te zeggen dat leren het liefste is wat ik doe ...'

'Toch was het zo. Ik leerde graag, en toen ik naar de middelbare school ging, ging ik me verdiepen in de vraag waarom mensen reageren zoals ze reageren, en waarom mensen niet aardiger tegen elkaar doen. Ik denk dat ik wel een beetje een antenne voor mensen met problemen heb. Mijn moeder ging later met die ander samenwonen. We kwamen weer in een rijtjeshuis terecht. Mijn nieuwe vader had wel aandacht voor mijn moeder, maar niet voor mij en Rik, die hij op de koop toe had genomen. Dus niemand vond het erg toen ik na de middelbare school de opleiding SPH wilde gaan doen en op kamers in de stad ging.'

'Dat is dan wel heel anders dan bij mij thuis. Mijn ouders vonden het vreselijk dat ik op kamers wilde gaan wonen. Het was in hun ogen goddeloos.'

'Jij bent streng christelijk opgevoed, hè?'

'Dat kun je wel zeggen. En nu wil je mij gaan uithoren? Ik ben zeker zo'n jongen op wie je je verworvenheden wilt gaan uitproberen?'

'Dat vind ik gemeen van je', zegt Bianca met een stem die trilt van de emotie. 'Ik heb je toch geen enkele reden gegeven om dat te denken? Ik had geen bijbedoelingen toen ik je dit vertelde. Ik voel me tot je aangetrokken, maar vraag me niet waarom. Misschien omdat je zo serieus bent of zo rechtdoorzee. Je moet er verder ook niets achter zoeken. Ik wil alleen maar een goede vriendschap. Misschien heb ik mijn verhaal wel verteld om mijn zwakheid te laten zien. Ik weet dat jij er geen misbruik van zult maken. Zo ben je niet.'

Gert vraagt zich af wat ze precies bedoelt. Wanneer hij naar haar kijkt, merkt hij dat haar gedachten op dit moment niet bij hem zijn. Haar ogen staren in de verte, en het is alsof hij een traan in haar ooghoeken ziet glinsteren. Zijn aanvankelijke belangstelling voor haar is inmiddels flink bekoeld, want hij heeft begrepen dat Bianca geen meisje is voor een oppervlakkig contact. In zijn contacten met meisjes tot nu toe was het hoofddoel altijd ontspanning. Wanneer hij zijn blik van haar afwendt, denkt hij dat het het beste zal zijn het bij dit gesprek te laten, maar wanneer hij weer naar haar kijkt, denkt hij er anders over, want ze heeft toch wel iets. Ze zal toch niet steeds in deze stemming blijven?

'Zullen we nog wat drinken of zullen we gaan?', vraagt Gert.

'Wil jij niets vertellen over thuis? Het kan flink opluchten erover te vertellen.'

'Och, wat heb je daaraan? Misschien een andere keer wel. Als jij niets meer wilt, ga ik betalen. Ik betaal natuurlijk ook voor jou. Zullen we dan ergens anders heen gaan?'

Gert loopt naar de kassa en betaalt aan het meisje dat hen bediend heeft: zestien euro vijftig. Daarna loopt hij terug naar Bianca, die uit het raam zit te kijken.

'Kom, we gaan naar een andere gelegenheid', zegt hij op de manier waarop hij dat gewend is.

'Gert, een andere keer misschien. Ik heb nu echt geen zin meer. We hebben vanavond al veel gedaan, en ik ga het liefst gauw naar bed.'

Gert voelt zich om onverklaarbare redenen kwaad worden. Ze moet niet denken dat ze de baas over hem kan spelen. 'Dan blijf je maar hier', zegt hij vastbesloten, trekt zijn jas aan en loopt met grote stappen het restaurant uit. Hij zal zich niet laten kennen! Als ze dat denkt, heeft ze het mis. Zonder haar kan hij zich ook prima vermaken. Hij laat zich door haar de wet niet voorschrijven.

Wanneer hij buitenkomt, merkt hij dat het een stuk koeler is dan daarstraks. Hij doet de rits van zijn jas dicht en kijkt op zijn horloge hoe laat het is: halfelf. Hij vraagt zich af of hij nog ergens anders heen zal gaan. Laat hij in ieder geval even doorlopen, zodat hij hier weg is.

Na een paar honderd meter gelopen te hebben hoort hij hollende voetstappen achter zich. Hij kijkt even achterom. Het is Bianca op haar hoge hakken, met haren die fladderen in de wind. Het geeft hem een grimmige voldoening te constateren dat hij gewonnen heeft en dat zij hem blijkbaar nodig heeft. Dan blijft hij staan en vraagt waarom ze hem achternakomt.

'Gert, ik wil niet dat we op zo'n vervelende manier uit elkaar gaan,' zegt ze, 'maar ik ben vanavond echt niet in de stemming om ergens anders heen te gaan. Vind je het goed als we morgenavond samen uitgaan en dat jij dan de gelegenheid uitzoekt die je leuk vindt? Dan maken we er op een andere manier een gezellige avond van.'

Gert hoeft er niet lang over na te denken. Hij heeft zijn zin gekregen. Nu moet hij geduld hebben.
'Natuurlijk. Ik vind wel iets.'

8

De Hoek is een heel andere gelegenheid dan het restaurant waar ze eerder heen geweest zijn. De harde beatmuziek is al van ver te horen, en wanneer ze de deur opendoen, vallen het licht van de gekleurde lampen en de muziek over hen heen. Aan de bar zitten een paar jongens en meisjes van rond de twintig. Eén meisje heeft een laag uitgesneden hals, ziet Gert in het voorbijgaan. Dan kijkt hij verder. Het is gezellig druk. Alle tafeltjes zijn bezet met vrolijk pratende en lachende jongeren. Vooral die komen hier. Hij is hier wel meer geweest. Bianca is naast hem komen staan, en hij merkt dat verscheidene jongens naar haar kijken en dat hij dus vanzelf meedeelt in de aandacht voor haar.

'Even kijken of ik iemand zie die ik ken.' Ergens in het midden ontdekt hij Lars aan een tafeltje waar nog een paar stoelen vrij zijn. 'Zullen we bij hem gaan zitten?', stelt hij voor, terwijl hij naar het tafeltje wijst.

'Mij best', zegt Bianca, die achter hem aan loopt.

'Hé, Gert,' begroet Lars hem, 'kom erbij zitten.'

'Ik haal even iets voor mij en voor Bianca', zegt Gert. 'Jij zeker een breezer?', vraagt hij aan haar.

Ze knikt en gaat op een van de vrije stoelen zitten.

Gert komt terug met een breezer voor Bianca en een pilsje voor zichzelf. Hier heeft hij het beter naar zijn zin dan in het restaurant waar ze gisteravond waren. Met een klap zet hij zijn flesje op tafel.

'Nou, zeg, die tafel hoeft niet kapot', grinnikt een meisje tegenover hem.

'Dat gebeurt ook niet,' zegt Gert, 'maar ik mag toch mijn flesje wel neerzetten?'

'Natuurlijk mag dat, maar ik dacht even dat je te veel energie had.'

'Misschien is dat ook wel zo.'

Het wordt een gezellige avond. Ze praten over school, over auto's, over mobieltjes, over meisjes, overal en nergens over. En intussen zorgen ze ervoor dat de glazen tijdig gevuld worden. Deze gesprekken zijn ideaal om je lekker te ontspannen. Niets moet, alles mag. De muziek, de drank en de lichteffecten zorgen voor een prettige omlijsting. Gert vindt het een prima voorbereiding op de rest van de avond.

Ineens dringt tot Gert door dat iemand hem roept.

'Gert, heb je nu al genoeg?', vraagt degene die hem riep.

Gert hoort aan de klank van de stem dat de jongen een beetje te veel gedronken heeft en hem uitdaagt. Hij besluit hem op doeltreffende wijze van repliek te dienen. 'Heb ik dat gezegd of zo?'

'Dat niet, maar je zegt niets en je drinkt niets.'

'Dat moet ik toch zelf weten? Er zijn van die jongetjes die er prat op gaan dat ze veel kunnen drinken en die het daarna in hun broek doen. Ik denk niet dat jij zo'n jochie bent, maar toch ...'

'Zal ik voor jou ook halen?'

'Natuurlijk, maar als ik jou was, zou ik er voor vandaag mee stoppen, want je ziet er nogal bleekjes uit.'

Gert ziet de blikken van de anderen op zich gevestigd. Zo wil hij het hebben. Het is hem hier in het begin tegengevallen, omdat er lieden bij waren die minstens zo veel konden drinken als hij. Hij is altijd gewend geweest dat ze naar hem opkeken, omdat hij dingen deed die anderen niet durfden. Toen hij een jaar of tien was, en niemand over een sloot durfde te springen, omdat die zo breed was, deed Gert het en kwam hij eroverheen. Toen ze met een groep van een heuvel af crosten, durfde niemand volle snelheid te maken, behalve hij. Geconcentreerd nam hij de bochten, en hij kwam natuurlijk als eerste beneden. Toen zijn vrienden hun brommer niet verder durfden op te voeren omdat ze bang waren voor problemen met de politie, deed Gert het wel. Op oudejaarsavond was hij degene die het vuur op de kruising bij hen in de buurt aanstak. Angst kwam niet in zijn woordenboek voor, soms wel in zijn gevoel, maar dan ondernam hij altijd dadelijk actie. Hij weet nog dat die drie jongeren verongelukten. Wim bleef achter, omdat hij de confrontatie niet aandurfde, maar hij ging wel kijken en heeft alles gezien. Het was een vreselijk gezicht, maar Gert weet allang dat niet alles leuk is. In het leven moet je durven, en dat geldt ook wanneer je drinkt. Toen hij vroeger in de buurtschap met de jongens naar de keet ging, was hij de eerste die meer dan vijf pilsjes op een avond dronk. Hij verlegde zijn grenzen telkens weer als eerste. Dat heeft hem gezag gegeven. De andere jongens hadden in de gaten dat ze hem niet onder de tafel konden drinken en dat hij later na het indrinken in de keet nog gerust naar de stad ging om verder te gaan.

De stemming komt er goed in. Het gezelschap wordt vrolijk, en af en toe lachen ze bulderend. Soms kijkt iemand van een andere tafel naar hun groep, maar dat verhoogt de sfeer juist.

Het gesprek komt op de aanstaande verkiezingen, een prima onderwerp om te lachen. Eerst gaat het over de politici, die een voor een over de hekel gehaald worden. De een ziet er te netjes uit, met zijn haar altijd perfect gekamd, de volgende is een draaikont, die de ene keer heel iets anders zegt dan de volgende, een derde durft geen standpunten in te nemen. En zo gaat het maar door.

'Op welke partij ga jij stemmen, Gert?', vraagt iemand.

'Dat weet ik nog niet.'

'Christelijk zeker?'

'Ik denk het niet. Er zijn wel betere partijen.'

'Welke vind je beter?'

'Dat houd ik voor mezelf, jongens.'

'Doe niet zo kinderachtig.'

'Ik denk dat ik op een partij stem die opkomt voor de belangen van de echte Nederlanders.'

De eerste die hem bijvalt, is Lars. Die zegt: 'Ik vind het een schande dat je in Nederland niet mag zeggen wat je denkt.'

Gert merkt dat hij in goed gezelschap is en zegt: 'Als je kijkt wat er tegenwoordig in ons land gebeurt, vraag je je af waar het heen gaat. Het stroomt maar vol met buitenlanders, die allemaal rechten krijgen. Ze kunnen geld naar hun familie sturen en ze kunnen moskeeën bouwen die zo hoog zijn als wolkenkrabbers.'

'Laat ze. Wat zou dat?', merkt een meisje naast Bianca op. 'Iedereen mag toch bouwen wat hij wil, of het nu een kerk of een synagoge of een moskee is.'

'Als het zo doorgaat, is Nederland over een paar jaar een islamitisch land, waar de sharia toegepast gaat worden.'

'Je slaat door. Niemand heeft het hier over de sharia, en de paar radicaliserende moslims die er zijn, hebben hier niets te vertellen. Geloof maar gerust dat ook de imams er van alles aan doen om hen op andere gedachten te brengen', zegt hetzelfde meisje.

'Ik ben het met je eens, Dorien', zegt Bianca. 'Er zijn heel veel moslims die keurig netjes leven, en we hoeven voor hen niet beducht te zijn. Veel Nederlanders kunnen zelfs een voorbeeld aan hen nemen.'

'Vinden jullie de verhalen over terrorisme overdreven?'

'Nee, dat niet, maar het is heel iets anders dan waar jij

het over hebt', zegt Dorien. 'Je moet niet met allerlei angstverhalen komen. Dat doen christenen ook altijd. We leven in een rechtsstaat, waarin iedereen een gelijke behandeling krijgt. En bovendien komen er allang niet meer zo veel buitenlanders ons land binnen als een paar jaar geleden.'

'Maar ze worden wel veel brutaler', zegt Gert. 'Je merkt toch dat ze macht willen hebben, en die imams doen er niets aan. Die vinden het alleen maar fijn dat er hier onrust ontstaat, zodat ze hun eigen ideeën kunnen invoeren.'

'Ik ben het niet met je eens', zegt Dorien rustig.

'Wacht maar rustig af totdat het te laat is', roept Gert een beetje harder dan de bedoeling was.

'We leven toch in een vrij land, waarin iedereen mag zeggen hoe hij erover denkt?', zegt Dorien.

'Jazeker, we leven in een vrij land. Daarom mag ik ook zeggen hoe ik erover denk, en ik denk dat de moslims ons land willen inpikken. Ze kwamen hierheen als arme sloebers. Ze hebben gebruik gemaakt van allerlei wetten om het hier goed te krijgen en ze hebben geld gestuurd naar hun familie in Marokko of Turkije op kosten van de Nederlandse belastingbetaler. En ze laten op kosten van de Nederlandse belastingbetaler hun vrouwen overkomen uit zo'n ver land, en dan lopen ze op straat met een hoofddoek om of met hun hoofd helemaal verstopt in een boerka, zodat je hen niet kunt herkennen. Wie zegt me dat het geen terroristen zijn? Dat mag allemaal in Nederland. Mag ik dan misschien ook nog zeggen hoe ik erover denk?'

'Natuurlijk mag je zeggen hoe je erover denkt. Maar je hoeft je niet zo op te winden, Gert', zegt Bianca.

'Ik wind me helemaal niet op', zegt Gert op even harde toon. 'Ik wind me niet op, maar ik mag zelf weten wat ik zeg, net zoals Theo van Gogh. Je zult maar leven in een land waar je niet meer mag zeggen wat je denkt. Maar ik weet wel dat een heleboel mensen dat niet meer durven te doen.'

'Gert, houd je mond', zegt Lars, terwijl hij een vloek uit en met zijn hoofd een beweging maakt naar een groepje mensen aan het tafeltje naast hen.

Gert kijkt snel evenopzij en ziet donkere typen, maar hij negeert de opmerking van Lars. Hij is nog nooit voor iemand aan de kant gegaan, en het zal wel heel bijzonder zijn als het nu anders is. Gert ziet de bewondering in de ogen van een paar jongeren tegenover hem, die dat blijkbaar niet durven, en daarvan groeit hij. Nu is het moment gekomen om gezag te krijgen.

Na een fikse slok bier zegt hij: 'Zal ik eens precies zeggen hoe ik erover denk? Ik vind het hoog tijd worden om op de goede partij te stemmen. Voordat je het weet, leef je in een land waar de moslims de baas zijn en wordt je de mond gesnoerd.'

'Gert, niemand zegt dat je niets meer mag zeggen, maar je moet niet alles willen zeggen', probeert Bianca.

Gert vindt het vervelend dat ze hem tegenspreekt. Zonder haar had hij de anderen misschien al op zijn hand. Fel en niet al te zachtjes zegt hij: 'Ik wil helemaal niet alles zeggen. Ik wil alleen zeggen dat ik geen moslim zal worden, en als mensen over Jezus mogen zeggen wat ze willen, mogen ze dat ook doen over Mohammed.'

Op dat ogenblik wordt er naast hun tafeltje een stoel verschoven, en voordat Gert het weet, staan twee jongeren tegenover hem, bruine gezichten, donker haar en een afschuwelijk boze blik in de ogen.

'Van de profeet heb je af te blijven', zegt de een.

'Als je nog eens zoiets zegt, weten we je te vinden', zegt de ander.

Gert voelt even angst wanneer hij hun ogen ziet – zulke blikken heeft hij nog nooit gezien–, maar hij handelt als andere keren. Hij kijkt de twee met diepe verontwaardiging aan en zegt: 'We leven hier in een vrij land, en ik mag zelf weten wat ik zeg. Als jullie er niet tegen kunnen, moeten jullie een andere gelegenheid zoeken, waar je onder landgenoten bent.'

'Wij hebben hier net zo veel rechten als jij.'

'En ik heb hier net zo veel rechten als jullie. Als ik jullie was, zou ik me rustig houden.'

'Als jij niet oppast, loopt het verkeerd met je af.'

'Het kan met jullie ook wel verkeerd aflopen.'

'Je hebt de profeet beledigd.'

'Ik heb de profeet niet beledigd. Ik heb alleen maar gezegd dat je mag zeggen wat je wilt over de profeet. Als ik jullie was, zou ik aangifte doen bij de politie. Die is ervoor.'

'Het gaat jou niets aan wat we doen.'

'Ik geef mijn mening. We leven in een vrij land, waar je mag zeggen wat je wilt.'

Het is inmiddels stil geworden aan hun tafeltje, en ook aan andere tafeltjes rekken mensen hun halzen om te luisteren, nieuwsgierig hoe de woordenwisseling zal aflopen.

De ene donkere jongen doet een stap naar voren totdat hij pal voor de stoel van Gert staat.

Gert, die niet van plan is zich op de kop te laten zitten, staat ook op. Zijn gezicht is vlak voor het hoofd van de ander, wanneer hij zegt: 'Als jij me wilt intimideren, zeg ik je nu dat dat je niet zal lukken. We leven in een vrij land. Ik mag zeggen wat ik vind, en ik mag staan waar ik wil.'

'Je blijft van de profeet af.'

'O, je wilt me bang maken? Sinds wanneer mag je hier in dit land iemand bedreigen?'

Dan begint de ander: 'Jij komt hier niet vandaan als je je excuses niet aanbiedt.'

'En jij komt in de cel te zitten als je me aanraakt. En ik wil dat je nu gauw ophoudt.'

'Dat had je gedacht. Iemand die de profeet aanraakt, krijgt met ons te doen.'

Gert ziet dat het gezicht van de jongeman tegenover hem van woede vertrokken is, dat het gezicht van degene naast hem ook vastberaden staat en dat aan een tafeltje iets verderop anderen gespannen zitten toe te kijken. Hij kan nu niet meer gaan zitten of weggaan, want dan zou hij gezichtsverlies lijden, en dat is het laatste wat hij wil. Gert heeft een dergelijke situatie nog niet eerder bij de hand gehad, maar waarom zou hij er zich nu niet uit redden? Hij gaat door met praten: 'Man, stel je niet aan. Ik heb de profeet niet aangeraakt. Dat kan ik niet eens, want hij is hier niet eens.'

Op dat moment krijgt Gert een stomp tegen zijn neus en proeft hij warm bloed dat van zijn bovenlip in zijn mond stroomt. Eén moment kan hij niet denken, maar dan voelt hij zijn kwaadheid opkomen. Denken ze dat ze zomaar mogen gaan vechten en dat ze hem met z'n tweeën wel aan kunnen? Hij laat het niet op zich zitten en het kan hem niet schelen of zijn tafelgenoten hem nu helpen of niet. Hij haalt meteen uit voor een stomp. Die lui zullen weten dat ze hier niet de baas zijn.

Dan gebeurt er iets totaal onverwachts. Wanneer zijn hand op het verste punt naar achteren is, wordt die vastgepakt, zodat die niet naar voren kan gaan. In plaats van dat Gert slaat, draait hij zijn lichaam naar achteren en dan ziet hij wat er aan de hand is. Bianca heeft zijn vuist met twee handen stevig vastgepakt en zegt: 'Gert, niet doen. Hier komen moeilijkheden van.' Ze voegt eraan toe, tegen de twee jongens: 'Ik hoor bij hem. Excuses, hoor.'

Dan trekt ze hem aan zijn arm weg, en Gert laat zich wegtrekken, waarschijnlijk voor de eerste keer in zijn leven.

De twee jongens doen even alsof ze hem willen volgen, maar dan laten ze het er toch bij zitten en gaan ze terug naar hun plaats. Voordat ze gaan zitten, roept een van hen nog: 'Ik onthoud je gezicht.'

Gert wil iets terugroepen, maar Bianca houdt een hand voor zijn mond en trekt hem doelbewust verder mee. Gert ziet dat iedereen naar hem kijkt. Hij beseft dat niemand hem geholpen heeft. Wat een lafaards zijn het hier.

Op dat moment staat naast Bianca een grote potige kerel met een kaalgeschoren hoofd en handen als kolenschoppen, die vraagt of hij het moet overnemen. 'Gert, hij wil je op straat zetten. Ga rustig met mij mee. Dan loopt het het beste af', fluistert ze in zijn oor.

Gert voelt het warme bloed en veegt met zijn hand over zijn bovenlip. Dan kijkt hij naar de bodybuilder en doet hij wat Bianca zegt, maar zijn handen trillen om erop los te slaan. Gert kijkt weer naar de nog steeds van woede vertrokken gezichten van de twee jongeren, die hij het liefst op hun gezicht zou timmeren, maar hij bezwijkt voor de zachte stem van Bianca, die zegt: 'Niet kijken, Gert, gewoon meegaan.'

Wanneer Gert buiten staat, voelt hij de koele nachtwind langs zijn gezicht strijken. Hij kijkt om zich heen. Niemand neemt notitie van hen. Een aantal jongeren gaat het café binnen, een groepje anderen loopt luid pratend langs hen heen, blijkbaar op weg naar een ander café.

Bianca haalt een papieren zakdoekje tevoorschijn en maakt zijn gezicht schoon.

Gert is er met zijn gedachten niet bij. Wat kan hem die bloedneus schelen nu hij bakzeil heeft moeten halen voor een paar van die lui. Op dat moment hoort hij ergens een klok slaan, en onbewust telt hij mee. Ineens beseft hij dat de zondag begint. Tenminste, zo zei zijn moeder het altijd. Hij voelt automatisch aan wanneer het 's zaterdagsavonds twaalf uur is. Het is er zo ingeslepen, vroeger, dat het hem misschien zijn hele leven wel zal bijblijven. Wat zouden zijn vader en moeder nu doen? Zouden ze nog staan te wachten? Op wie eigenlijk? Wim is wel op tijd thuis. Gert wil niet aan thuis denken en richt zijn blik op de handen van Bianca, die nog steeds bezig is zijn gezicht te fatsoeneren.

'Dat ging niet goed, hè?', zegt Bianca vriendelijk, terwijl ze zijn hand vastpakt.

Gert voelt opeens zijn drift weer bovenkomen en zegt: 'Wat ging er niet goed? Die jongens waren fout. Ik niet. Ik leef in een vrij land en mag zelf weten wat ik zeg. Ik vond het nergens op lijken dat de anderen mij niet te hulp schoten. Lafaards zijn het.' Hij voelt zijn bloed weer koken en zou het liefst teruggaan naar het café om die jongens een lesje te leren. En dan die uitsmijter die hem eruit wilde zetten en die die lui liet zitten. Het is de omgekeerde wereld.

'Waarom mogen die buitenlanders blijven zitten? Zij zijn begonnen.'

'Nou ja, buitenlanders. Het zijn Nederlanders, net als jij en ik. Je moet niet steeds buitenlanders zeggen. Grote kans dat ze ook weg moeten, maar ze wachten natuurlijk even totdat jij weg bent. Anders gaat de vechtpartij buiten verder.'

'Ze zijn nog niet van me af!'

'Gert, houd je rustig. Voordat je het weet, heb je tien van die lui op je dak, en dan ben je niet blij. Ziezo, je ziet er

weer een beetje toonbaar uit. Het lijkt me het verstandig-
ste nu maar naar huis te gaan, voordat er anderen naar buiten komen.'

'Ga je even mee naar mijn kamer?', vraagt Gert, die toch
nog hoopt op een goed einde van de avond.

Even staat Bianca in twijfel. Dan accepteert ze zijn voorstel.

Gert laat de sleutel van de kamerdeur in zijn zak glijden en
heeft vanaf dat moment een superopgewonden gevoel. Het
knapste meisje dat hij kent, is op zijn kamer. Hij bekijkt
haar van onder tot boven, en zijn opgewondenheid neemt
nog toe. Bianca staat rustig naast hem en bekijkt zijn
kamer. Het lijkt erop dat ze op een andere golflengte zit
dan hij.

'Zal ik je jas even ophangen?', vraagt hij.

'Ik ben eigenlijk niet van plan te blijven, maar het kan
wel vijf minuutjes of zo', zegt ze.

Voordat ze haar jas uitgetrokken heeft, helpt hij haar al.

'Nou, nou, je bent wel galant', zegt Bianca.

'Zal ik je trui ook vast uittrekken?'

'Nee.'

Het komt er zo koud uit dat Gert ervan schrikt. Dat was
te snel. Dat had hij niet zo moeten zeggen. Hij moet kalm
aan doen. Anders lukt het niet.

'Ga even zitten', zegt Gert.

'Het is een echte jongenskamer', vindt Bianca, die op de
bank is gaan zitten. 'Je hebt helemaal geen planten in de
kamer, en je hebt maar één plaat aan de muur met een stel
trekkers.'

'Had ik dan posters met blote meiden moeten hebben?',
vraagt Gert spottend.

'Dat bedoel ik niet. Dat weet je ook wel. Maar je zou

toch een mooie poster van een huis of van een landschap kunnen ophangen?'

Zonder antwoord te geven loopt Gert naar de koelkast en haalt er voor hemzelf een pilsje, en voor Bianca een breezer uit. Hij zet het ene flesje op het tafeltje voor haar neer en het zijne ernaast, waarna hij naast haar op de bank schuift.

'Dank je, Gert, maar ik hoef echt niet. Anders kan ik niet meer thuiskomen.'

'Dan ga je toch niet naar huis.'

'Het zal voor jou niet meevallen een slaapplaats te vinden,' lacht ze, 'want je hebt hier niet genoeg ruimte.'

'Dat kan meevallen. Ik ben creatief in het bedenken van oplossingen.'

Bianca gaat er niet op in en kijkt de kamer verder rond.

Gert neemt een slok van zijn bier en kijkt naar Bianca, die dat merkt en naar hem kijkt.

Ze glimlacht tegen hem en zegt: 'Wat zit je naar me te kijken?'

'Ik vind je mooi', zegt Gert, terwijl hij dichter bij haar gaat zitten en haar in de ogen wil kijken of haar wil aanraken, maar zij komt met haar gezicht niet dichter bij hem en kijkt hem niet in de ogen. Dan doet Gert voorzichtig een arm om haar middel en trekt haar naar zich toe, maar zij maakt zijn hand los en gaat aan de andere kant van de bank zitten.

'Heb je nooit gezoend?', vraagt Gert.

'Je moet zelf weten wat je van me vindt, maar ik wil niet gaan zoenen. Ik wil vriendschap met je, en ik denk dat je dat vanavond wel gemerkt zult hebben. Als ik er niet geweest was ...'

'Dan had ik die lui flink op hun gezicht getimmerd. En het kan me niets schelen dat ze met z'n tweeën waren. Ik lust ze rauw, zulke ruziemakers. En dan die uitsmijter: net doen alsof ik fout was.'

'Gert, praat niet zo hard. De mensen beneden slapen, want het is al heel laat.'

Op iets zachtere toon gaat hij verder: 'Veel mensen hebben van die grote woorden, maar als het erop aankomt, doen ze niets. Nederlanders zijn allemaal lafbekken, die hun land zomaar laten afpikken.'

'Gert, als je er niet over ophoudt, ga ik weg, hoor.'

Gert stopt met praten, gaat iets dichter bij haar zitten en wil haar aanraken, maar hij komt niet verder dan haar hand. Zij legt haar andere hand boven op zijn hand en verhindert hem zo haar te strelen.

'Gert, ik vind jou, ondanks wat er vanavond gebeurd is, een goede jongen, maar ik wil niet meer dan vriendschap. Ik vond het gisteren fijn met je te kunnen praten, en ik vind het fijn bij je te zijn, maar ik wil niet verder gaan.'

'Hoe bedoel je?', vraagt Gert, die zich vanbinnen boos voelt worden.

'Nou, om duidelijk te zijn: ik voel niets voor zoenen en seks. Laat het alsjeblieft bij een goede vriendschap blijven. We kunnen toch ook vrienden zijn zonder elkaar aan te raken?'

Gert kan zich niet inhouden en zegt: 'O, is mevrouw te preuts?'

'Ik ben niet te preuts. Ik wil het gewoon niet, en ik wil ook niet dat je je beledigend uitlaat. Dat deed je eerder tegen die jongelui ook al, en nu tegen mij weer. Waar haal je het recht vandaan? Je moet niet denken dat ik niet zonder jou kan, want als het zo gaat, zul je me niet vaak meer zien.' Bianca is opgestaan en wil zich omdraaien.

Gert is ook opgestaan en pakt haar bij haar schouders beet, maar Bianca trekt zich los en doet een stap naar achteren. Gert voelt zijn kwaadheid toenemen. Het liefst zou hij haar recht in haar gezicht geslagen hebben, maar er is iets wat hem tegenhoudt. Hij schreeuwt tegen haar: 'Hoepel dan maar op!'

'Ik ga al', zegt ze meteen. Ze draait zich zeer beslist om, grist haar jas van de kapstok en gaat linea recta naar de deur. Wanneer ze daar is, loopt Gert naar haar toe, maar voordat hij haar bereikt heeft, heeft zij de deur al open, gaat vliegensvlug door de opening, kijkt een keer achterom, roept: 'Dag' en slaat de deur achter zich dicht. Het gebeurt allemaal in een flits.

Gert is niet van plan haar achterna te gaan. Zo zit hij niet in elkaar. Hij loopt terug naar de bank, laat zich achterovervallen en laat een harde boer. Daarna vloekt hij een keer hartgrondig. Hij had zich verheugd op een mooie avond met Bianca, maar zij wil alleen maar een praatvriendschap. Ze lijkt zijn zus Annelies wel. Die had ook zulke aparte ideeën. Bianca mag dan zo knap zijn als een filmster, als ze maar weet dat hij zo'n filmster niet nodig heeft.

Gelukkig heeft hij onlangs een aantal films ingeslagen. Hij grinnikt een keer wanneer hij eraan denkt dat zijn moeder de film die hij op de computer installeert, zou zien. Dan begint de film en denkt hij nergens meer aan. Het is een vervanging van wat hij verlangde van Bianca, en het bevalt hem goed.

De volgende morgen slaapt Gert lang uit. Hij hoort de klokken niet van de kerk in de buurt die de gemeenteleden oproepen. Alleen toen hij hier pas woonde, werd hij er wakker van. De kerkgangers zijn al lang en breed weer thuis, wanneer Gert wakker wordt met een akelig gevoel in zijn hoofd en een pijnlijke neus. Meteen komen de gebeurtenissen van de vorige avond hem weer voor de geest. Dat was geen prettige avond, en in die gelegenheid zullen ze hem nooit meer zien. Gert loopt naar de spiegel in de doucheruimte en ziet dat zijn neus dik is en dat er bloedstolsels in zitten. Hij probeert voorzichtig of hij die kan verwijderen, maar dat gaat niet makkelijk. Laat maar zitten. Het gestolde bloed komt vanzelf wel een keer los. Daarna loopt hij naar het raam en kijkt uit over het plein, waar op dat moment helemaal niets te doen is. Het enige wat hij ziet, is een oudere mevrouw die het plein oversteekt. Het motregent een beetje. Dus het is geen weer om naar buiten te gaan. In zijn pyjama loopt hij naar de koelkast en kijkt of er nog iets te eten is. Hij vindt een pak yoghurt en besluit daarvan een schaaltje vol te eten, met wat muesli. Daarna zet hij koffie om het duffe gevoel uit zijn hoofd te verdrijven, wat niet zo goed lukt, ook niet wanneer hij twee koppen op heeft. Gert besluit weer naar bed te gaan. Het komt er vandaag toch niet op aan.

9

Gert gooit de papieren zak met warme friet met een boog op de tafel. De zak glijdt een klein stukje door en blijft dan precies op de rand liggen. Gert grijnst. Hij weet dat hij goed kan mikken. Hij heeft voor zichzelf friet gehaald met een frikandel speciaal erbij. De geur van de friet, die door de opening van de zak heen komt, doet hem nog meer honger krijgen. Snel gaat hij naar de koelkast en haalt er frietsaus en curry uit. In de andere hand pakt hij een potje appelmoes en een klein bakje met sla die hij gisteren niet opgemaakt heeft. Je moet, als je alleen bent, goed voor jezelf zorgen, hebben ze hem altijd verteld, en daarbij hoort zeker ook dat je genoeg vitaminen binnenkrijgt. Zo'n geweldige kok is hij nu ook weer niet dat hij elke dag kookt. Daarna haalt hij uit de kast bord, mes, lepel en vork, en legt die op tafel. Ten slotte pakt hij een flesje bier uit de koelkast.

Gert gaat aan tafel zitten, bekijkt de friet in de zak met een kennersblik en prikt met zijn vork in een stukje, dat hij keurend naar zijn mond brengt. De smaak is goed. Dat maakt hij wel eens anders mee. Pas had hij friet die blijkbaar in oude olie was gebakken, want veel stukjes waren klein, hard en donker. Deze zijn lichter en toch lekker warm. Daarna laat hij de friet op zijn bord glijden en voegt er frietsaus en curry bij. Met zijn vork snijdt hij een klein stukje van de frikandel speciaal af om te proeven, en ook die kan de keuring doorstaan. Met smaak zet hij zich aan de maaltijd.

Lekker eten heeft hij wel nodig na zo'n snertdag. Het lijkt erop dat hij niet de juiste school gevonden heeft. Niet omdat hij de stof niet aankan, maar om de mensen. Op de havo had hij altijd vrienden, en verliep het contact met anderen vanzelf. Hier loopt het allemaal niet zo gladjes. Hij dacht dat hij hier goede vrienden had, maar hij merkt dat ze hem de laatste tijd ontlopen, dat ze niet naast hem gaan zitten en niet met hem willen praten. Hij heeft er wel eens naar gevraagd wanneer hij met iemand alleen was, maar er kwam nooit meer uit dan dat het beslist niet waar was. Het lukt hem hier duidelijk niet een goede positie te verwerven, ook niet als hij zich voor anderen uitslooft of als hij de kastanjes voor hen uit het vuur haalt. Het zal toch niet zo zijn dat ze hem voor een ouderwetse boer van de Veluwe houden, zoals iemand wel eens plagend gezegd heeft. Eén ding weet hij zeker: ze zullen hem niet zo ver krijgen dat hij zich in alles aan anderen aanpast, want hij wil hoe dan ook zichzelf blijven. Ze zullen van hem nooit kunnen zeggen dat hij een meeloper is. Als hij ergens een hekel aan heeft, is het aan kuddegedrag. Iedereen is verantwoordelijk voor zijn eigen daden en moet daar op afgerekend kunnen worden. Hij zal zijn zelfstandigheid bewaren, ook zonder bewonderaars.

Het is wel jammer dat de anderen zo anders denken. Onlangs waren er een heleboel studenten die lid waren van een studentenvereniging, naar een galadiner geweest, iedereen met een meisje of een jongen. Ze waren allemaal keurig in zwart pak of in smoking gestoken, en de dames in galajurken. Er werden tijdens dat diner allemaal zeer officiële toespraken gehouden. Dat was om alvast te oefenen voor de toekomst. Voor hem hoeven dergelijke bijeenkomsten niet. Hij vindt het ook niet nodig lid te worden van een studentenvereniging. In het begin hebben ze hem van verschillende verenigingen gevraagd, maar hij ziet de meerwaarde er echt niet van in. Het heeft niets met je studie te maken, en plezier kun je ook wel maken zonder vereniging. Met een aantal mensen bijeenkomen en over een onderwerp nadenken lijkt hem niet zo nodig. Als hij eruit ligt omdat hij niet bij een studentenvereniging aangesloten is, is het wel kinderachtig. Dan zegt dat meer over de anderen dan over hem.

Gert is best tevreden over zijn studie, die naar wens verloopt. Op de doordeweekse avonden studeert hij hard. Soms gaat hij naar de soos, maar niet voordat hij klaar is met de zelf opgelegde studietaak. Op zaterdag en soms 's avonds werkt hij als vakkenvuller in de supermarkt, en het weekend heeft hij om bij te komen. Dan gaat hij uit.

In het begin was de studie saai, maar Gert heeft langzamerhand schik gekregen in een aantal praktische vakken. Het grootste probleem voor hem is economie. Voor de andere tentamens is hij allemaal geslaagd. Hij heeft al heel wat studiepunten verzameld.

Eerst wat drinken. Gert loopt naar de koelkast en haalt er een pilsje uit. Hij pakt een lepel, houdt die tegen de rand van de dop en slaat dan van onderen met kracht tegen de lepel, zodat de dop van de fles knalt en tegen het plafond komt. Gert grinnikt. Hij vindt het nog steeds een leuk spelletje.

Het bier brengt hem in een betere stemming. Zal hij vanavond na het studeren naar de soos gaan of zal hij thuisblijven om televisie te kijken of te internetten? Eigenlijk zou hij na het leren de was moeten doen, maar daar heeft hij echt geen zin in. Het was vandaag een vermoeiende dag op school, en de was kan morgen ook nog. Als hij eraan begint, moet hij alles meteen wegwerken. Dat wil zeggen: netjes opvouwen en in de kast leggen. Gert heeft een hekel aan rommel in zijn kamer, in tegenstelling tot veel andere studenten. Hij houdt van orde en regelmaat, maar het be-

tekent wel dat hij soms nogal wat kleren in de doucheruimte laat liggen.

Na het eten kijkt hij snel het huis-aan-huisblaadje door,
waar niet zo veel bijzonders in staat. Een foto van de win-
naars van een ballonnenactie, een stukje over een brom-
fietscontrole en dan iets over amok in een horecazaak. Het
gaat over iemand die een zaak wilde binnengaan en werd
geweigerd. Hij liep toch door en gaf een medewerker van
de zaak een vuistslag. Even komt de scène van een poosje
geleden hem voor de geest, toen die buitenlander hem een
klap tegen zijn neus gaf. Hij had toen zo veel zelfbeheer-
sing dat hij niets terugdeed, maar als hij die vent nog eens
ziet, staat hij niet voor zichzelf in. Dan is er nog een stuk
over een begraafplaats, waar het zo mooi zou zijn. Hij weet
niet wat hij zich daarbij moet voorstellen. Hij is een enkele keer op een begrafenis geweest, en toen vond hij de begraafplaats echt geen monument. Er zijn advertenties voor
een TomTom, die hij wel zou willen kopen als hij meer
geld had, en er is reclame voor plasmaschermen. Wat staat
daar nu? Een USB-stick van een gigabyte voor nog geen
vijfentwintig euro. Misschien moet hij die eens aanschaffen, zodat hij gemakkelijker informatie van de computer
van school kan meenemen naar zijn computer thuis.

Ziezo, nog wat appelmoes en hij heeft weer genoeg
gehad. Langzaam lepelt Gert de appelmoes naar binnen en
kijkt intussen het blad verder door. Nee, er staat niet veel
meer in. Wanneer hij klaar is, loopt hij naar de koelkast om
te kijken of er nog een restje yoghurt of vla is, maar er is
niets meer. Dan herinnert hij zich dat hij vanmorgen het
laatste restje heeft opgegeten en dat hij van plan was na
schooltijd boodschappen te gaan doen. Oei, dat is er ook
bij ingeschoten. Dat moet hij morgen dus nog doen. Hij
wordt de laatste tijd wel slordiger. Vroeger overkwam het

hem nooit dat hij iets vergat. Pas had hij dat ook al toen hij een schone onderbroek wilde aantrekken die er niet was. Vroeger had zijn moeder het schone ondergoed altijd klaarliggen.

Intussen hebben zijn ouders wel begrepen dat hij het meent. In het begin kwam hij elke maand op vrijdagavond thuis en ging hij in de loop van de zaterdag terug. De laatste tijd komt hij veel onregelmatiger thuis. Hij is er nu zelfs al een paar maanden niet meer geweest na een ruzie. Toen vroegen ze aan hem of hij nog wel naar de kerk ging en wat hij op zaterdagavond deed. Hij heeft hun duidelijk gemaakt dat ze het daarover nooit meer moeten hebben en is een paar uur vroeger weggegaan dan gewoonlijk. Hij heeft zich voorgenomen gewoon een halfjaar niet meer te komen. Dan begrijpen ze misschien dat ze niet meer over de kerk moeten beginnen. 'Houdt het dan nooit op?', riep dat meisje in de film, en zo voelt hij dat zelf ook.

Die film heette *Zwartboek*, en toen was Bianca erbij. Hij begrijpt niet dat hij zo verlekkerd op haar heeft kunnen zijn. Na die avond op zijn kamer heeft hij haar nog wel eens gezien, en hij groet haar wel gewoon, maar hij blijft met opzet heel afstandelijk en heeft niets meer met haar. Bianca is een afgesloten hoofdstuk. Het bevalt hem beter zoals hij nu leeft. Hij heeft geen vaste relatie, en dat heeft zo zijn voordelen, want daardoor kan hij zich vrijer bewegen.

De telefoon gaat. Hé, het is iemand uit het dorp waar hij vandaan komt, ziet hij aan het nummer.

'Met Gert.'

'...'

'Hé, Annelies, hoe is het met jou? Ik heb je stem al een poos niet meer gehoord.'

'...'

'O, is dat mijn eigen schuld, omdat ik bijna nooit meer thuiskom? Wanneer ik thuis ben, ben jij er niet. Dus dan hoor ik jouw stem ook niet. De laatste keer dat ik er was, heb ik jou en Peter niet gezien. Het maakt me niets uit, hoor, maar dan moet je niet net doen alsof het aan mij ligt. Als je gehoord had hoe pa en ma toen tegen mij deden, praatte je nu ook wel anders.'

'...'

'Of het goed met me gaat? Het gaat hier prima. Ik zou niet weten hoe het beter zou kunnen. De stad heeft veel meer te bieden dan het platteland, waar je alleen maar boerderijen en koeien ziet. Ik ben een tijdje geleden naar *Zwartboek* geweest, een film over de oorlog, en dat kan in het dorp niet. Het was een boeiende film, die het leven beschrijft zoals het echt is.'

'...'

'Goed en kwaad is in ieder geval niet zo duidelijk als wit en zwart. Het loopt vaak in elkaar over, en in dat grijsgebied kun je niet altijd zeggen wat slecht of goed is.'

'...'

'Of ik nog naar de kerk ga? Je lijkt moeder wel. Die heeft het ook altijd over de kerk. Straks wil je ook nog weten hoe laat ik op zaterdagavond thuis kom en hoeveel flesjes bier ik in een week drink. Ik denk dat het handiger is nu meteen te verklappen dat het je allemaal niks aangaat. Dus ik zou zo zeggen: vraag er niet naar. Dan is de kans het grootst dat je geen ruzie krijgt.'

'...'

'Nee, een ruzietype ben je niet, maar je weet wel altijd goed wat je wilt, en je wilt wel altijd je zin doordrijven. En ik moet zeggen dat het je in de meeste gevallen nog lukt ook, haha. Zeg, hoe is het met Peter?'

'...'

'O, zit Peter tegenover je aan de tafel? En wat doen jullie de hele avond?'

'...'

'Meer niet? Of wil je dat niet zeggen?'

'...'

'Nou nog mooier. Nou maak ik dubbelzinnige opmerkingen. Hoe is het met Wim?'

'...'

'Ja, we konden vroeger heel goed met elkaar opschieten, maar we zijn een beetje uit elkaar gegroeid, denk ik. Ik bel Wim af en toe een keer, maar hij belt mij bijna nooit. Ik heb niks tegen hem, als je dat soms denkt. Wim is een heel beste jongen, maar sinds hij in die evangelische kringen komt, is hij veranderd en heeft hij mij niet meer nodig, en ik hem trouwens ook niet.'

'...'

'Ik red mezelf heel goed.'

'...'

'Pa en ma bellen me nooit. Ma heeft in het begin een keer gebeld. Jij denkt zeker dat ik toen onvriendelijk gedaan heb, maar dat is helemaal niet zo, al heb ik natuurlijk wel gezegd hoe ik over bepaalde dingen dacht, en dat nam ze me niet in dank af. Toen heb ik nog een paar dingen aan mijn eerdere woorden toegevoegd en toen brak zij het gesprek af. Het lag echt niet aan mij, want zij begon erover.'

'...'

'Het zou best kunnen dat ze begon te huilen, maar dat zal dan na het gesprek geweest zijn, want ik heb er niets van gehoord door de telefoon. Als ze het werkelijk zo erg vindt, moet ze me maar bellen.'

'...'

'Is ze nog steeds overstuur? Dat kan ik me bijna niet voorstellen, want het is al maanden geleden.'

'...'

'Je bedoelt dat ze overstuur is doordat ik niet naar huis kom?'

'...'

'Daar kan ik ook niets aan doen. Ik denk dat het alleen maar erger zou worden met haar als ik te veel naar huis zou komen, omdat ze er dan weer niet tegen zou kunnen dat ik op zaterdagavond te laat thuiskom. Ik denk dat het na een poosje vanzelf overgaat. Voorlopig kom ik even niet thuis. Wie weet hoe het later gaat.'

'...'

'Dag, Annelies. Leuk dat je gebeld hebt. En doe Peter de groeten.'

Dat was Annelies. Eigenlijk zou hij best een keer bij haar en Peter op bezoek willen gaan, maar hij weet nu al hoe zo'n bezoek zal verlopen. Ze zal eerst een poosje over allerlei dingen praten en dan algauw over de kerk en andere zaken beginnen die met de Bijbel te maken hebben, en daar bedankt hij voor. Zo ging het nu toch ook? Maar Annelies is toch wel heel anders dan zijn moeder. Ze heeft dat veroordelende niet zo sterk, zoals zijn vader en moeder dat wel hebben, die je door allerlei kleine dingetjes telkens laten merken dat je zo zondig bent. Dat je je best doet op school en iedereen in zijn waarde laat, is voor hen geen positief punt. Voorlopig heeft hij er even genoeg van naar hen toe te gaan.

Gert vergeet de tijd wanneer hij bezig is met de studie, en het is tien uur wanneer hij zijn laatste boek met een voldaan gevoel dichtdoet. Ziezo, het is weer gelukt.

Hij heeft geen zin om naar de soos te gaan en besluit nog een uurtje televisie te kijken en dan vroeg naar bed te gaan. Voordat hij zich op de bank installeert, haalt hij een pilsje uit de koelkast. Eens even kijken of er iets moois is. Met de afstandsbediening zet Gert de televisie aan, waarna hij de zenders uitprobeert. Op de ene is een nieuwslezer met een ernstig gezicht bezig erge dingen te zeggen. Die zender heeft hij nu niet nodig. Hij zoekt naar iets ontspannends. Op de volgende wordt reclame gemaakt voor een nieuw schoonmaakmiddel, wat hem nog minder interesseert. Dan is er een zender met een geweldsfilm, waarnaar hij even blijft kijken, maar die hem niet echt boeit. De film heeft geen psychologische diepgang; het gaat alleen maar om knokken en schieten. De volgende zender toont een mooie vrouw die de mensen probeert te verleiden loten te kopen. Daar heeft hij helemaal geen zin in. Het is allemaal niets vanavond. Zal hij toch nog naar de soos gaan, of zou hij een van de nieuwste films gaan bekijken? Hij kiest voor het laatste, omdat hij geen zin heeft om weg te gaan.

Gert opent een kastje waarin hij de nieuwste aanwinsten heeft opgeslagen. Hij grinnikt een keer wanneer hij eraan denkt wat zijn moeder wel zou zeggen bij het zien van de covers. Zijn ouderwetse moeder heeft er geen benul van hoe je moet ontspannen wanneer je uren achter elkaar met je studie bezig bent geweest. Ziezo, even de film installeren en dan heeft hij anderhalf uur voor zichzelf.

10

Even dringt zich de herinnering aan Bianca op wanneer Gert de deur van zijn kamer voor Anoek openhoudt. In een flits ziet hij Bianca de kamer binnenkomen. Dat was ook in de nacht van zaterdag op zondag, om dezelfde tijd als nu.

Hij heeft Anoek verschillende keren op zaterdagavond ontmoet in disco *The Fantasy*, waar ze heerlijk gedanst hebben en uit hun dak gegaan zijn in het licht van felle lampen en geweldige muziek. Je kunt je daar echt helemaal laten gaan. De vorige keer heeft hij een uur gedanst, maar had hij na afloop niemand om mee naar huis te nemen. Toen was hij ook al geïmponeerd door Anoek, met haar prachtige lichaam in een naveltruitje. Ze was echter al verdwenen voordat hij er erg in had. Hij had zich na afloop meteen voorgenomen dat niet een tweede keer te laten gebeuren, want hij voelde zich rot na het bezoek aan de disco. Als hij Anoek niet meer zou ontmoeten, zou hij een ander meenemen, zo had hij zich voorgenomen.

Hij had geluk, want ook de volgende zaterdag, vandaag, was Anoek er, en ze danste nog uitdagender dan de vorige keer. Toen ze tegen hem knipoogde en haar tong tegen hem uitstak, wist hij genoeg. Hij raakte haar tijdens het dansen een paar keer aan, en dat vond zij prachtig.

Toen hij na het dansen naar haar toe ging en zijn arm om haar schouders sloeg, vond zij dat fijn. Hij mocht haar over haar schouders en haar buik strelen. Aan het eind van de avond heeft hij gevraagd of ze met hem meeging. Toen hij het vroeg, boorde ze haar ogen in de zijne, terwijl ze zei: 'En als ik nu eens nee zeg?'

'Dat doe je niet', had Gert gezegd.

'Jij kent mij helemaal niet. Jij weet helemaal niet wat ik allemaal doe.'

'Ik weet heel goed wat jij doet', had Gert gezegd, en ze begreep de toespeling meteen.

'Vooruit dan maar, als je me thuisbrengt', had ze gezegd.

Stevig gearmd waren ze naar zijn kamer gelopen, en toen was nog duidelijker wat zij wilde. Zij kon niet van hem afblijven en met haar linkerhand raakte ze hem tijdens het lopen telkens op een heel gevoelige plaats aan. Dat bezorgde hem een opgewonden gevoel, en hij woelde net zo lang totdat hij haar blote schouder onder zijn hand voelde. Gert begon steeds sneller te lopen, en Anoek volgde zijn tempo met snelle passen, zodat haar schoenen klikten over de straat.

Nu zijn ze bij zijn kamer gearriveerd en houdt hij de deur voor haar open. Zij doet haar jas uit, hangt hem op, loopt dan meteen door naar de kamer en zegt: 'Gert, wat heb je het hier leuk ingericht.'

Gert, die achter haar aan komt, voelt zich gestreeld door haar compliment. Hij zegt: 'Ga maar zitten. Dan pak ik even iets te drinken. Lust jij nog een pilsje?'

'Dat is goed. Maar dan moet je me wel naar huis brengen', zegt ze quasidreigend.

'Dat beloof ik,' zegt Gert, 'al is het alleen maar om je te beschermen tegen allerlei boze mannen die over straat lopen.'

Ze lacht met een hoge lach. 'Bij jou ben ik veilig', zegt ze, en ze strekt haar armen naar hem uit wanneer hij terugkomt.

'Dat moet je niet te hard zeggen', zegt Gert, terwijl hij naar haar toe loopt, voor haar op de grond knielt en haar een zoen geeft. Ze slaat onverwacht haar armen om zijn nek en trekt hem naar zich toe.

'Gert, ik vind je lekker', fluistert ze in zijn oor, waarna ze hem in dat oor bijt.

Gert wordt steeds dichter naar haar toe getrokken, en ten slotte komt hij naast haar op de bank terecht.

Anoek draait zijn gezicht naar zich toe en kijkt hem recht in de ogen.

Gert ziet de begeerte erin glinsteren. Hij brengt zijn mond bij haar mond en steekt zijn tong in haar mond.

Ze beantwoordt zijn zoen onmiddellijk en klemt haar armen strak om zijn hals. Daarna maakt ze haar mond en haar armen los en zegt: 'Gert, wat ben jij lekker.'

Gert kijkt haar opnieuw diep in de ogen. Ze is knap. Ze heeft mooie ogen, met donker opgemaakte wenkbrauwen en ragfijn bewerkte wimpers. Van haar neus glijdt zijn blik naar haar mond en dan naar haar hals en verder naar beneden.

Ze volgt zijn blik en zegt: 'Wat is er aan mij te zien?'

'Ik vind je knap', zegt Gert.

'Dan kijk je wel op de verkeerde plaats', lacht ze. 'Bij knap zijn gaat het om het gezicht.'

'Ik vind je gezicht knap, en de rest van je lichaam mooi.'

'Daar weet jij niks van, jochie', daagt ze hem uit.

'O nee, en wat vind je hier dan van?', vraagt Gert, terwijl hij haar T-shirt van onderen vastpakt en daar haar blote huid voelt.

'Dat mogen kleine jongetjes helemaal niet doen', zegt ze, terwijl ze zijn handen vastpakt.

'Wil je het zelf doen?', vraagt Gert.

'Mispunt', zegt ze, terwijl ze zijn handen loslaat. Van dat ogenblik maakt Gert gebruik om haar shirt omhoog te trekken. Eerst werkt ze tegen, maar wanneer hij doorzet en het shirt een scheurend geluid maakt, houdt ze haar armen omhoog, zodat hij zijn gang kan gaan.

'Ik vind jou anders geen klein meisje meer', zegt Gert. 'Je bent helemaal volgroeid. Maar ik zie dat je nog iets aanhebt en daarmee zal ik je eerst helpen.' Dit zeggend pakt hij haar om haar middel vast en wil haar omdraaien om het haakje van haar beha los te maken, maar ze geeft zich niet zomaar gewonnen en pakt hem op haar beurt vast bij zijn broek.

'Ho, ho, meisje', zegt Gert. 'Je moet niet denken dat hier alles kan.'

'Laat eens zien of je een flinke jongen bent', zegt Anoek met een hees stemgeluid.

De volgende dag wordt Gert halverwege de morgen wakker. Naast zich hoort hij ineens zeggen: 'Gert, joh, je hebt me helemaal niet naar huis gebracht.'

'Wat zou dat?', vraagt Gert, terwijl hij een arm om haar heen slaat. 'Wat mij betreft, kun je nog een poosje blijven. Dan breng ik je aan het eind van de middag wel weg. Of als je dat liever hebt, gaan we vanavond eerst nog ergens iets eten en breng ik je daarna weg. Maar ik wil je ook nu meteen wel wegbrengen. Ik houd van manieren.'

'Ik heb erge honger', zegt ze. 'Heb je iets te eten voor me?'

'Straks', zegt Gert, terwijl hij zijn ogen sluit en zijn armen om haar heen slaat.

Anoek is een prima vervangster voor Bianca. Ze voelt precies aan wat hij wil, en hij heeft goed in de gaten wat zij wil. Ze ontmoeten elkaar elke zaterdagavond in *The Fantasy*, en het wordt gewoonte dat zij met hem meegaat naar zijn kamer en dan blijft tot zondagmiddag, soms tot zondagavond. Zij heeft liever niet dat Gert meegaat naar haar kamer, en dat vindt hij best. Doorgaans nemen ze op straat afscheid van elkaar en beloven ze elkaar de komende zaterdag weer te zien. De relatie is vrijblijvend en toch ook weer niet, want ze zien elkaar iedere week, en Gert denkt er niet aan met een ander uit te gaan.

Op een keer wordt er midden in de week aangebeld. Dat gebeurt eigenlijk nooit en hij is benieuwd wie er aan de deur is. Wanneer hij beneden de deur opent, ziet hij dat Anoek er staat. Eerst slaat zijn hart een keer over wanneer hij denkt aan de komende avond, maar dan pas ziet hij dat er iets met haar aan de hand is. Ze ziet er heel anders uit dan op zaterdagavond. Niet alleen haar kleren en haar make-up zijn anders, maar ook haar gezicht. Ze heeft problemen, flitst het door Gert heen.

'Moeilijkheden, Anoek?', informeert hij.

'Ja, best wel. Ik heb problemen gekregen met mijn huisbaas, en hij wil me eruit zetten. Hij zei tegen me dat ik vanaf volgende week een andere kamer moet hebben, en ik dacht ...'

'Ik begrijp het al, Anoek. Je dacht aan mij. Kom binnen. Dan drinken we iets en kunnen we het erover hebben.'

Gert verbaast zich over deze Anoek, die heel weinig zegt en stilletjes met haar jas aan op de bank zit, terwijl het huilen haar nader staat dan het lachen. Is het wel dezelfde Anoek die hem op zaterdagavond zo uitdaagt en opwindt?

'Wil je bier?', vraagt hij.

'Nu?', vraagt zij. 'Alsjeblieft niet. Geef maar een mok sterke koffie. Daar ben ik meer aan toe.'

Terwijl Gert koffiezet, laat hij zijn gedachten gaan. Hij weet wat zij zal vragen. Ze zal vragen of ze bij hem mag komen wonen, en daarmee maakt ze het hem niet gemakkelijk. Hij heeft te weinig ruimte om haar bij hem te laten intrekken. Dat is zeker. Hij zou haar natuurlijk ter wille kunnen zijn en kunnen zeggen dat ze hier bijvoorbeeld een week kan blijven, maar wie zegt dat ze dan een andere kamer heeft en vertrekt? Hij weet zo weinig van haar. Ze praten bijna nooit samen. Als Anoek er is, is het feest. Eigenlijk is het jammer dat hij haar niet echt kent. Hij weet niet eens wat ze in het dagelijks leven doet. Misschien kan hij het helemaal niet met haar vinden, en maakt ze gauw ruzie. Misschien wordt hij wel opgezadeld met een meisje dat helemaal niet meer weg wil. Het zal niet eenvoudig zijn zijn studie voort te zetten terwijl ze hier permanent in huis is. Hoe oud zou ze eigenlijk zijn? Misschien is ze niet eens achttien, en haalt de politie haar hier weg. Die gedachte maakt hem niet blij. Toch wil hij haar niet wegjagen, want dat heeft ze niet verdiend. Bovendien zou het dan afgelopen zijn met de fijne zaterdagavonden. Je kunt iemand met wie je zo intiem geweest bent, toch niet zomaar de straat op laten gaan?

Terwijl hij de koffie inschenkt, besluit hij haar te helpen, maar haar niet de mogelijkheid te bieden bij hem in te trekken, omdat dat te veel risico's met zich meebrengt. Hij zal zeggen dat ze een nacht kan blijven en dat hij haar daarna wil helpen zoeken. Terwijl hij naar haar toe loopt, ziet hij hoe anders haar gezicht is dan op zaterdagavond. Ze maakt een gehavende indruk, en hij heeft medelijden met haar. Moet je zien hoe ze naar hem kijkt.

'Alsjeblieft, je koffie. Ik heb ze flink sterk gemaakt. Dat zul je wel nodig hebben. Wat zie ik nu? Je gaat toch niet huilen?'

'Het is zo'n rotwereld', snikt ze. 'Mijn ouders hadden graag dat ik het huis uit ging, en nu ik weg ben, vinden ze het prima dat ik niet meer thuiskom en kijken ze niet meer naar me om. Ze verrekten het zelfs me geld te geven toen ik geldproblemen kreeg, en ze bleven onbewogen toen ze te horen kregen dat ik mijn kamer uit moest. Gert, ik ben zo blij dat ik bij jou ben, want bij jou voel ik me veilig.' Ze wil haar armen om zijn nek slaan, maar Gert trekt zich terug naar het verste hoekje van de bank, omdat hij nu wil blijven nadenken. Eerst de zaken.

Ze kijkt hem door haar tranen heen aan, en er komt een glimlach om haar mond.

'Drink eerst je koffie maar op. Dan kijken we wel verder', bromt Gert.

'Je laat me toch niet vallen, hè?', vraagt ze, een beetje wantrouwig geworden door zijn manier van doen en zijn toon.

'Natuurlijk laat ik je niet vallen. Maar ik moet ook om mezelf denken.'

'Zie je wel dat je me laat vallen! Ik hoor het al. Je wilt aan jezelf denken. Dat vind ik niet eerlijk. Want altijd als je iets wilde, was ik goed genoeg voor je, en nu ik iets van jou wil, bedank je voor de eer. Mannen zijn allemaal hetzelfde. Je kunt verrekken met je koffie.'

Ze zet de mok met een klap neer op het tafeltje, zodat de koffie over de rand spat, staat boos op, stampt driftig met haar voet op de grond en herhaalt wat ze daarnet zei: 'Mannen zijn allemaal hetzelfde.' Ze voegt eraan toe: 'Je hoeft niet bang te zijn dat ik je overlast bezorg, meneer Gert. Ik ga al. Ik zal mezelf wel redden. Meneer moet om zichzelf denken. Bah.'

Terwijl Anoek dit zegt, loopt ze stampvoetend naar de deur. Staande in de deuropening zegt ze: 'Je begrijpt zeker wel dat je me hier niet meer ziet?' Dan gooit ze zonder een antwoord af te wachten de deur voor zijn neus dicht.

Gert hoort haar gestampvoet op de trap nog, en daarna klinkt de echo na in zijn hoofd.

Dat was Anoek. Gert blijft totaal verbouwereerd voor de dichtgegooide deur staan en loopt dan langzaam terug naar de bank, waar Anoeks koffie nog altijd staat. Als dat niet zo was, zou hij denken dat het een boze droom geweest was. Hij zal eerst de koffie weggooien en het tafeltje schoonmaken met de vaatdoek, en dan zal hij bekijken wat hem nu te doen staat.

Terwijl hij met kleine teugjes van zijn koffie drinkt, komt hij tot de conclusie dat hem weinig te doen staat. Anoek is verdwenen. Het temperamentvolle meisje zal beslist niet naar hem terugkomen, welk genereus aanbod hij haar ook zal doen. Dat laatste is hij overigens niet van plan.

Het is maar beter dat hij Anoek niet meer ziet. Ze is iemand die het een ander fiks lastig kan maken met haar uitdagende manier van doen, en hij kan zich er wel iets bij voorstellen dat haar ouders het best vonden dat ze op kamers ging. Zou ze zaterdag naar *The Fantasy* komen? Vermoedelijk niet, want ze zal Gert niet willen ontmoeten. Ze zal wel een andere gelegenheid opzoeken. Mocht ze toch komen, dan kan hij altijd nog net doen alsof hij haar niet ziet, want *The Fantasy* is groot genoeg. Voorlopig heeft hij geen behoefte aan een andere vriendin, maar wie weet wat er zich in de loop van de tijd voordoet.

In de disco leert hij kort daarop Ingrid kennen. Ze ziet er iets ouder uit dan Anoek, maar ze is zeker zo knap als zijn oude vlam. Het duurt iets langer voordat hij Ingrid meekrijgt naar zijn kamer, en ze is ook iets minder fel dan Anoek, maar hij bereikt uiteindelijk toch wat hij wil, al gaat het initiatief dan van hem uit. Gert heeft het idee dat een minder temperamentvol meisje ook minder problemen zal geven, en daar heeft hij wel gelijk in.

Hij komt er echter achter dat hij zich na een tijdje minder tot haar aangetrokken voelt. Op een keer ziet hij ertegen op naar de disco te gaan. Dat gevoel heeft hij tot nu toe nooit gehad, en eerst begrijpt hij het niet. Tijdens het dansen merkt hij dat hij liever naar andere meiden kijkt dan naar Ingrid. Terwijl ze samen naar huis lopen, slaat hij zijn arm niet zo innig meer om haar schouder als de eerste keren.

'Waarom zeg je vanavond zo weinig?', vraagt zij aan hem. 'We hebben vanavond nauwelijks contact gehad.'

'Ik ben van de week druk geweest met mijn studie', maakt Gert zich ervan af. Hij wil niet liegen en haar ook niet voor het hoofd stoten, want ze heeft nog nooit onaardig tegen hem gedaan.

Wanneer hij de deur van zijn kamer voor haar opent, zijn alle sombere gedachten weg, en ziet hij alleen maar dat ze knap en willig is. Wanneer ze in haar korte rok terugkomt van de kapstok, zijn alle onzekere gevoelens verdwenen. Er wacht hun een plezierige avond.

De zaterdag erop voelt hij dezelfde aversie, en in de week daarna denkt hij zelfs met tegenzin aan hun verhouding terwijl hij met de studie bezig is. De gedachte aan een verbreking van de relatie komt ineens bij hem opzetten, en hij kan dat idee daarna niet van zich af zetten. Hij besluit Ingrid te bellen en het er rechtstreeks over te hebben.

'Hoi, Ingrid, met mij.'

'...'

'Ja, eigenlijk wel. Ik had daarnet een rotgevoel, en eerlijk gezegd heb ik dat al een paar weken. In het begin verlangde ik de hele week naar je en was ik blij wanneer het zaterdagavond was, maar de laatste twee weken heb ik dat niet meer.'

'...'

'Nee, het is niet zo dat ik een hekel aan je heb of dat ik je niet graag mag. Integendeel, ik mag je heel graag, en daarom vind ik het zo vervelend om het te vertellen, maar ik dacht: laat ik het maar direct zeggen. Dan weet je het, en kunnen we er samen iets aan doen.'

'...'

'Ik snap niet wat je bedoelt.'

'...'

'Het kan jou niet schelen het uit te maken? Dat is mijn bedoeling niet.'

'...'

'Nou snap ik wat je bedoelt. Laten we dat doen. We maken het nu uit, we zien elkaar komende zaterdag weer en dan zeggen we hoe we het de afgelopen week vonden. Je wilt zeggen dat we dan allebei de tijd hebben gehad om aan het idee te wennen. Ik vind het een prima idee. Laten we het zo doen. Dag, Ingrid.'

Dat ging snel, denkt hij wanneer hij zijn mobiel heeft neergelegd. Gert is blij met de genomen beslissing, en wanneer het zaterdag is, weet hij dat ze de juiste beslissing genomen hebben. Ze hebben elkaar vriendschappelijk gedag gezegd. Ze wilde zelfs nog een keer op een zaterdagavond komen voor het afscheid, maar daar had Gert geen behoefte aan.

Het mooie met Ingrid is wel dat ze goede vrienden blijven, en dat hij gewoon met haar kan gaan staan praten. Soms wanneer hij dat doet, heeft hij wel bepaalde herinneringen aan de nachten die hij met haar heeft doorgebracht, en omgekeerd zal zij die ook wel hebben.

Dat was dan Ingrid.

Na hun afscheid besluit Gert zich niet meer aan een meisje te hechten. Het is in een halfjaar tijd drie keer niets geworden met een meisje, en hij wil niet nog meer tegenvallers. Hij besluit voorlopig een poosje niet naar de disco te gaan en het op de zaterdagavonden bij cafés te houden. Daar zit hij weer bij zijn vrienden en vriendinnen, en hij vindt het prima zo.

Dan verlangt hij weer naar lichamelijk contact met een meisje en gaat hij terug naar de disco, waar een ontmoeting makkelijker verloopt dan in een café of bar. Zijn besluit staat vast dat hij alleen maar een meisje voor één nachtje wil en daarna vrij wil zijn.

In het begin onthoudt hij de namen van de meisjes, maar na een paar maanden is hij de eerste vergeten en is hij tevreden met het leven dat hij dan leidt. Hij maakt zich geen zorgen om de toekomst. Er zijn op school zo veel jongeren die vaak een onenightstand hebben, zich daar prima bij voelen en zich geen zorgen maken om de toekomst. Bij de meesten van hen lukt de studie prima. Je bent niet slechter als je zo leeft.

11

Gert kijkt gehaast op zijn horloge. De studie lukt vanavond niet goed. Morgen heeft hij tentamen statistiek, een vreselijk vak, waar bijna niet doorheen te komen is. Hij is niet de enige die dat vindt. Ze zeggen dat het belangrijk is, omdat onderzoek en statistiek tegenwoordig een grote rol spelen in het bedrijfsleven. De module over kansberekening heeft hij wel kunnen volgen, maar nu gaat het over correlatie en regressie, en daar snapt hij niets van. Hij is al een paar dagen bezig zich door al die grafieken en wiskundige formules heen te werken, maar telkens wanneer hij denkt dat hij het snapt, krijgt hij weer te maken met een situatie die boven zijn pet gaat.

Tijdens de lessen heeft hij best wat gevraagd, omdat hij er niet goed tegen kan dat hij niet verder komt. Hij maakte zich aanvankelijk niet vreselijk druk, want het was tot nu toe altijd nog goed gekomen. Waarom zou het deze keer anders zijn? Zijn hersens blijven echter tegenwerken. Heel diep in zijn hart denkt hij dat het te maken heeft met zijn drinkgedrag, maar dat wil hij zelfs aan zichzelf niet toegeven, en zeker niet aan anderen. Hij is de laatste tijd beslist niet minder gaan drinken, en hij heeft een aantal beroerde weken achter de rug in de relationele sfeer. Er was opnieuw een meisje dat bij hem wilde blijven en dat hem een hele tijd met telefoontjes en sms'jes bleef achtervolgen. Pas toen hij echt boos werd, kwam hij van haar af. En dan was er een meisje dat 's avonds op zijn kamer ging ruziemaken en toen luid scheldend wegging. In zulk soort situaties was het drinken van bier altijd een probaat middel om de problemen te verwerken. En wanneer hij 's avonds gewoon ergens was, dronk hij meestal ook niet weinig.

Het tentamen hangt hem de laatste week als een zwaard van Damocles boven het hoofd. Het is nu elf uur, en hij moet nog dertig bladzijden, terwijl hij de voorafgaande bladzijden ook niet goed kent. Hij weet wel wat er staat, maar als de vragen iets afwijken van de precieze tekst in het boek, is hij de klos.

Wat zal hij doen? Nog even een uurtje televisie kijken en dan naar bed gaan, zodat hij tenminste nog een beetje nachtrust heeft, of zal hij doorgaan totdat hij alles onder de knie heeft? Hij besluit tot het laatste, want het zou zijn eer te na zijn morgen een onvoldoende te halen. Tot nu toe heeft hij al zijn studiepunten gehaald, en hij heeft bij de anderen een goede naam opgebouwd.

Gert besluit eerst koffie te zetten en daarna snel verder te gaan met zijn boek. Hij vindt het koffiezetten deze keer een plezierig karweitje, omdat hij dan even iets anders aan zijn hoofd heeft. Ziezo, eerst het filterzakje, dan koffie in het zakje, daarna het water in het reservoir en dan kan hij de knop aanzetten. Even later hoort hij het apparaat pruttelen en ruikt hij de koffie. Terwijl de koffie doorloopt, loopt Gert ter ontspanning door de kamer. Hij wil de televisie niet aanzetten, omdat hij dan misschien te lang blijft kijken. Hij kijkt eens naar buiten, waar het rustig is. De lichten van een auto komen dichterbij. Daarna hoort Gert het geluid en ziet hij de lichten weer verdwijnen. Het is een leuk spelletje. Daar komt weer een auto, even kijken wanneer hij het geluid hoort. Deze auto heeft duidelijk een zwaardere motor of een anders afgestelde uitlaat dan de vorige, omdat hij hem sneller hoort. Een andere auto verdwijnt uit beeld. Gert ziet de achterlichten langzaam kleiner worden. Even goed opletten of het geluid ineens verdwijnt of dat het langzaam minder wordt.

O, de koffie is doorgelopen. Gert schenkt koffie in een mok en neemt die mee naar zijn bureau. Nog even een paar minuten genieten van de koffie en dan moet hij weer verder. Hij neemt een paar slokken van de koffie, zet de mok neer en gaat weer aan de slag.

Een uur later begint zijn hoofd pijn te doen en moe te worden. Gert weet dat het signalen zijn om te stoppen, maar hij moet verder, want hij heeft nog twintig bladzijden voor de boeg. Tien bladzijden per uur. Dat betekent dat hij om twee uur klaar is. Leuk is het niet, maar na het tentamen kan hij uitslapen. Je moet er niet te dramatisch over doen. Hij heeft wel gehoord van studenten die voor een tentamen een hele nacht doorwerkten. En wat te denken van de verhalen van geleerden die avonden achter elkaar met hun voeten in een bak met water zaten om wakker te kunnen blijven? Hij zal de koffie tijdens zijn tienminutenpauze iets sterker maken en daarna weer snel doorgaan. Die twintig pagina's moet hij halen.

Twee uur later doet Gert het boek met een onvoldaan gevoel dicht. Hij heeft niet alleen het idee dat hij de stof niet goed beheerst, maar ook is zijn hoofdpijn zo toegenomen dat hij nauwelijks meer kan denken. Zijn hoofd doet aan alle kanten pijn. Het is alsof kleine mannetjes er met lange naalden in steken.

Alle mensen, het is twee uur, en het is buiten volkomen stil. Wanneer hij naar het raam loopt, ziet hij dat de weg helemaal leeg is. De lantaarns lijken voor niets te schijnen. Hij kan nu beter geen drinken meer nemen en snel naar bed gaan. Dan heeft hij tenminste nog wat nachtrust voordat hij morgenvroeg om goed zeven uur op moet voor het tentamen, dat om acht uur begint.

Wacht, hij zal eerst een schone onderbroek aantrekken. Dan hoeft hij dat morgenvroeg niet te doen. Gert doet het kastdeurtje in de doucheruimte open, maar constateert dan dat er geen schone onderbroek meer is. Wat dom van hem! Hij wist het gisteren, maar toen was hij zo druk met de studie dat hij het wassen even uitgesteld heeft. Er is zelfs geen schone handdoek meer. Dan moet hij maar zo naar bed gaan.

Vijf minuten later ligt Gert in bed, en een kwartier later slaapt hij, hoewel niet rustig. In het begin droomt hij van een achtervolging met de auto. Iemand zit hem achterna, zwaait dreigend met zijn vuist en laat daarna een mes zien. Gert zit in de auto en rijdt voor zijn leven. Met een snelheid van tweehonderd kilometer per uur scheurt hij over de weg. Hij neemt de bochten zo roekeloos dat de wagen soms over de kop lijkt te slaan. Gert houdt het stuur echter muurvast met beide handen omkneld. Hij houdt de wagen op de weg en loopt uit op zijn tegenstander, maar juist wanneer hij denkt dat hij het wat kalmer aan kan doen, komt de ander weer dichterbij. Hij moet opnieuw rijden wat hij kan. Dan komt er een scherpere bocht en verliest hij de macht over het stuur. De auto begint te slingeren en ineens ziet Gert dat hij recht op een boom af gaat. Hij schrikt en denkt in een flits aan een heleboel dingen die in zijn leven gebeurd zijn en die hij niet meer over kan doen. Dan komt de klap ...

Gert grijpt naar zijn hoofd, dat geweldig pijn doet, en komt tot de ontdekking dat hij in bed ligt. Hij voelt zijn hoofd bonken. De pijn is erger geworden. Hoe laat is het? Halfvier? Dat betekent dat hij er over een paar uur uit moet. En hij heeft zo'n vreselijke hoofdpijn. Als het tijdens het tentamen nog zo is, kan hij het wel vergeten.

Het is tegen zijn gewoonte zomaar een paracetamol te nemen, maar deze keer doet hij het wel, omdat het echt nodig is. Wat een hoofdpijn!

Langzaam doet Gert zijn ogen open en wordt hij wakker. Mensen, wat is hij moe. De wekker is nog niet afgelopen. Dus hij kan zich nog een keer omdraaien. In zijn onderbewustzijn is er echter een signaal dat hem zegt dat hij eruit moet. Gert kijkt op de wekker. Hoe laat is het? Vijf voor negen? Dat is toch niet waar? Hij moet tentamen doen, en hij zou nu al bezig moeten zijn! Hoe bestaat het dat hij zo lang geslapen heeft? Heeft hij de wekker niet gehoord of is die niet afgelopen? Het overkomt hem nooit dat hij te laat op is. Ineens dringt het tot hem door dat hij gisteravond vergeten is de wekker te zetten. Hij kan zich wel voor zijn hoofd slaan.

Met een sprong is hij uit bed, en met een paar stappen is hij bij de douche. Snel, snel, misschien komt hij nog op tijd ...

Gert wast zich in een paar seconden, slaat het scheren over, pakt een droge snee brood mee uit de plastic zak en wil een flesje multivitaminen meepakken dat hij altijd in de koelkast heeft staan. Waar staat het flesje? Niet te vinden. Dan moet hij op school maar iets kopen. Snel een slok water. Vlug naar de wc. Rennen naar de kapstok. Gert grist zijn jas van de kapstok, schiet de trap af, rent naar zijn fiets en racet naar school. Het heeft alles bij elkaar misschien een kwartier geduurd, maar het tentamen is intussen al wel meer dan een uur aan de gang.

Hij zet snel de fiets op slot, loopt de school in zonder zijn jas uit te doen en haast zich naar het lokaal waar het tentamen is. Door het raam naast de deur ziet hij de anderen zwoegen. Niemand ziet hem staan. Even gaat er een zekere spanning door hem heen. Dan klopt hij zachtjes op de deur om de anderen niet te storen en gaat hij het lokaal binnen. Gert ziet dat ze allemaal even opkijken om te zien wat er aan de hand is.

Tiemesen, een oudere leraar, kijkt verwonderd op, staat op van zijn stoel en komt naar hem toe. Gert doet een paar stappen en zegt dan: 'Excuses, meneer, ik heb me verslapen.'

'Wie verslaapt zich nu met een tentamen? Je weet wat de regels zijn. Je behoort op tijd aanwezig te zijn.'

'Bedoelt u dat ik niet meer mee mag doen?'

'Iedere student wordt geacht het tentamenreglement te kennen, en daarin staat dat je niet meer dan een kwartier te laat mag komen.'

De ogen van Gert schieten vuur.

De leraar merkt dat blijkbaar, want hij voegt eraan toe: 'Ik heb de reglementen ook niet gemaakt, en als je vindt dat je onrechtvaardig behandeld wordt, is het mogelijk een klacht in te dienen. Daarvoor verwijs ik je naar de administratie.'

Nog is Gert niet van plan weg te gaan. Dan wordt de leraar het blijkbaar zat en verzoekt hij Gert dringend het lokaal te verlaten, omdat andere studenten last van hem hebben. Hij kan eventueel na het tentamen verder discussiëren.

Even later staat Gert alleen op de gang. Hij kijkt nog een keer door het raam naast de deur, maar ziet geen enkele begrijpende blik van een student. Integendeel, de gezichten blijven naar het papier gekeerd, zoals dat daarnet ook het geval was. Blijkbaar is hij niet iemand om medelijden mee te hebben.

Langzaam loopt Gert de gang af, en intussen besluit hij geen klacht in te dienen. Dat helpt toch niets en je hebt er niets aan dat op de hele school bekend wordt dat hij te laat op een tentamen verschenen is.

Chagrijnig verlaat hij de school. Iets dergelijks is hem nog nooit overkomen.

Ook al weet niemand hoe vervelend Gert zijn falen vindt, toch blijft het feit wel liggen. Hij neemt het zichzelf kwalijk dat het gebeurd is, en hij verwijt zichzelf dat hij ernstig tekortgeschoten is. Hij had nooit gedacht dat hem dit overkomen zou. Zijn studie, zijn denkvermogen en zijn discipline waren zijn trots, en nu dit. Zoiets zal hem nooit meer gebeuren.

Wanneer echter een paar weken later iets dergelijks opnieuw gebeurt, lijkt de wereld voor hem in te storten en vraagt hij zich grimmig en vol zelfspot af of hij bezig is dement te worden. Die hoofdpijn die hij zo vaak heeft! Nu begint hij te begrijpen waarom jongeren naar drugs grijpen wanneer ze het niet zien zitten. Je wilt van dat akelige gevoel in je hoofd af dat je als een steen naar beneden trekt. Tot nu toe had hij altijd gelachen om mensen die depressief zijn, het leven niet aankunnen en alles van de negatieve kant bekijken, maar langzamerhand verandert zijn kijk op de wereld. Een ogenblik komt zelfs de gedachte bij hem op dat de somberheid van zijn moeder misschien wel veroorzaakt is doordat zij in haar jeugd niet heeft bereikt wat ze wilde. In dat geval zou ze er dus niets aan kunnen doen dat ze zo is.

Gert is voorlopig nog niet van zijn pijnlijke hoofd af. Soms zit hij over zijn boeken gebogen zonder dat hij een letter ziet. Dan nemen zijn sombere gedachten bezit van hem.

Ze nemen hem overal mee naartoe. Vroeger kon hij denken waaraan hij wilde, maar nu bepalen zijn gedachten het onderwerp, en is hij toeschouwer. Hij mag wel oppassen dat hij niet terechtkomt in een neerwaartse spiraal die hij niet meer kan doorbreken. Het leven zit hem warempel niet mee. Eerst had hij een beroerde jeugd, met ouders die overal moeilijk over deden, en nu hij zelfstandig is, heeft hij opnieuw te kampen met tegenslag. Waarom moet dat hem overkomen? Zo moet hij niet denken. Een mens is verantwoordelijk voor zijn eigen succes of zijn eigen falen in het leven, en hij, Gert, zal zich erdoorheen slaan. Hij zal laten zien dat hij tegenslagen aankan en er zelfs sterker van wordt. Iedereen heeft in zijn leven wel eens een tijd dat het minder gaat. Dat is niet erg. Het is pas erg als je bij de pakken blijft neerzitten. Aan de slag, Gert!

12

Op een mooie vrijdagavond in juni zit Gert in de trein, op weg naar Amsterdam. Hij heeft de laatste tijd hard gestudeerd, en nu heeft hij ontspanning nodig. Op een vrije avond heeft hij zijn leven onder de loep genomen en hij heeft besloten dat het veranderen moet. Daarom drinkt hij minder en beweegt hij meer en neemt hij op zaterdagavond geen meisje meer mee naar zijn kamer. Hij gaat regelmatig 's avonds joggen en naar een fitnesscentrum om aan zijn conditie te werken, en af en toe gaat hij erop uit. Dankzij zijn OV-kaart kan hij gratis van het openbaar vervoer gebruik maken. Dat uitgaan is in zekere zin een vervanging voor zijn bezoeken aan thuis. Het is al maanden geleden dat hij thuis geweest is. Hij kwam elke keer met een slecht gevoel terug van een bezoek, en dat wil hij niet. Blijkbaar kan hij alleen maar een eigen leven opbouwen door helemaal afstand te nemen.

Gert is nog nooit in Amsterdam geweest, en hij heeft zo veel gehoord over de grachten, het Waterlooplein, de Dam en niet te vergeten de rosse buurt. Hij wil alles wel eens met eigen ogen zien. Op televisie zag hij onlangs een documentaire over het *red light district* in de hoofdstad, en die heeft heel wat bij hem losgemaakt, misschien ook wel omdat hij het vroeger met zijn vrienden wel eens over hoeren gehad heeft. Toen deden ze heel stiekem en begonnen zachtjes te praten en geheimzinnig te lachen. Tijdens die documentaire merkte Gert dat prostituees, zoals ze tegenwoordig heten, gewone mensen zijn, die hun beroep uitoefenen, net zoals anderen. Ze betalen ook gewoon belasting. Er zijn natuurlijk wel problemen, zoals van de loverboys, die jonge meisjes tegen hun zin achter de ramen proberen te krijgen. Die meisjes worden er dan met geweld van weerhouden weg te gaan. Er zijn ook heel wat buitenlandse prostituees, die door een of andere organisatie gedwongen zijn tot prostitutie. Dat vindt Gert schandalig. Als mensen hun lichaam willen verhuren, moeten ze dat zelf weten, maar ze moeten niet gedwongen worden. Het is goed dat de politie daar iets aan doet. Aan het eind van het programma kwam *Het Scharlaken Koord* in beeld, een christelijke organisatie die prostituees helpt een ander leven te beginnen. Dat moeten ze natuurlijk zelf weten, als ze maar niet met de Bijbel bij mensen aankomen.

Gert is van plan er een mooie avond van te maken, en daarna gaat hij lekker uit eten. Als zijn moeder te weten zou komen dat hij de rosse buurt gaat bekijken, zou zij vast en zeker de halve nacht voor hem op haar knieën liggen, zijn wereldvreemde moeder. Wat dat betreft, is de Bijbel duidelijker. Er staat genoeg in over hoeren. Hoe heette die vent ook weer die naar een hoer toe ging en zijn ring als pand bij haar achterliet? Het staat ergens vooraan in de Bijbel. Hij kan er even niet op komen. Het maakt ook niet uit. Nou, en dan heb je David natuurlijk, en Rachab, die van het scharlaken koord zogezegd, en ze zeggen dat Maria Magdalena ook een hoer geweest is. Zij zou het liefje van Jezus geweest zijn, maar hoe dat precies zit, weet hij ook niet.

De trein maakt een grote bocht en mindert vaart. Rechts ziet Gert het IJ, waarop een pont vaart, en links ziet hij achter het water de bebouwing van Amsterdam, met een omhoog rijzende toren ertussen. Daar ligt die Oost-Indiëvaarder, een nagebouwd schip, waarmee ze naar Indië gingen, uit de bloeitijd van Nederland. Heet die toren daar vlakbij niet de Schreierstoren, omdat de vrouwen daar afscheid namen van hun mannen die naar zee gingen, en die ze dan een paar jaar niet zagen?

De trein glijdt onder de overkapping van het Centraal Station door. Het is druk. Voor veel mensen zal het nu een uitgaansavond zijn. Gert gaat de trap af, waarna hij in de centrale hal terechtkomt, waar het naar wiet ruikt. Gert kent die geur wel. Er zijn in de stad coffeeshops waar het net zo ruikt. Hij gaat daar nooit heen en hij zal die middelen onder geen voorwaarde gebruiken. Op de middelbare school had een klasgenoot een keer stiekem drugs meegenomen, meer voor de kick dan voor het gebruik, want ze hadden allemaal maar een paar trekjes genomen. Hij weet nog goed hoe spannend ze het toen vonden. Ze waren ook zo weinig gewend. En dan te weten dat Amsterdam tientallen coffeeshops heeft, waar je gewoon in het openbaar kunt gebruiken. Hij heeft er wel eens een documentaire over gezien. De mensen gingen gewoon buiten zitten om hun jointje te roken. Het is ook duidelijk dat softdrugs nauwelijks gevaarlijk zijn. Dat zou hij eens tegen zijn moeder moeten zeggen. Wedden dat ze dan tegen het plafond springt. Ze weet vermoedelijk niet eens dat er verschil is tussen soft- en harddrugs. Zij vindt alles van de wereld gevaarlijk en zondig. Je moet er natuurlijk ook wel mee oppassen. Onlangs zag hij een paar jongeren in de bus zitten die duidelijk stoned waren. Ze keken heel versuft uit hun ogen en reageerden niet normaal. Zo moet je niet willen zijn.

Gert richt zijn blik op het plein waar de bussen staan. Hij besluit rechtdoor te gaan naar het Damrak. Nu moet hij stoppen voor de verkeerslichten. Dan loopt hij tussen de gebouwen. Aan de rechterkant ziet hij reclame voor een seksmuseum. Hij wist niet dat het hier was, en hij is er ook niet voor gekomen. Daarom loopt hij snel door.

Na de rondvaartboten ligt links de Beurs van Berlage, en daarachter begint de rosse buurt, waar Gert straks heen wil. Eerst wil hij andere gedeelten van Amsterdam bekijken. De Dam, iets verderop, maakt indruk op hem met het imponerende Koninklijk Paleis, dat hij zich herinnert van de beelden van het huwelijk van prins Willem-Alexander en prinses Máxima. Het is toch wel een fraai staaltje bouwkunst, en dan te bedenken dat het honderden jaren geleden gebouwd is. Iets verscholen achter het paleis ligt de Nieuwe Kerk, waarin het kerkelijk huwelijk voltrokken werd. Aan de andere kant van de Dam staat het Nationaal Monument, waar de koningin ieder jaar op 4 mei een krans legt ter nagedachtenis aan de slachtoffers van de Tweede Wereldoorlog. Hij herinnert zich dat zijn vader eens vertelde dat de Dam in de jaren zestig, toen hij jong was, altijd bevolkt werd door jongeren, die op of bij het monument gingen zitten of liggen. Die jongeren kwamen van heinde en verre naar Amsterdam. Zijn vader zei dat die jongeren toen ook vaak naar het Vondelpark gingen. Nu is er niets bijzonders te zien dan alleen een paar toeristen die in een toeristengidsje kijken.

Gert besluit nog een stukje door te lopen. Na het passeren van een toren komt hij algauw bij een gracht. Gert loopt door totdat hij bij de volgende gracht komt, de Keizersgracht, en besluit daar een stukje langs te lopen. De grote gebouwen met hun stoepen, mooie gevels en vele ramen zijn prachtig. Gert begint te begrijpen hoe rijk Amsterdam vroeger geweest moet zijn. De herenhuizen rijgen zich aaneen. Gert bekijkt een stadsplattegrond en ziet dat het Leidseplein dichtbij is. Hij heeft die naam wel eens gehoord en besluit erheen te gaan. Het valt hem op het eerste gezicht tegen: tramrails, hoge gebouwen, grote aantallen mensen. Toch besluit hij ergens op een terrasje te gaan zitten en iets te eten.

Hij vindt ergens tussen de mensen op een terras nog een onbezet tafeltje en bestelt een bord friet, een bal gehakt en een glas bier. Het bier wordt meteen gebracht, maar op de friet moet hij wachten. Terwijl hij wacht, kijkt hij om zich heen. Onvoorstelbaar zo druk als het hier is. Er is een voortdurende stroom mensen die passeert. Hij hoort het meest Engels praten, maar soms hoort hij talen die hij absoluut niet kan thuisbrengen. Vlak bij hem loopt een donkergekleurd paar met een kinderwagen. De man duwt de kinderwagen vooruit, en zij rookt een sigaret. Donkergekleurde mensen komen elkaar op de stoep tegen en omhelzen elkaar onder het slaken van allerlei uitroepen. Ineens ontdekt hij op de stoep voor het terras een muzikant met een gitaar die erg zijn best doet om er iets van te maken. De man komt daarna met een bakje rond, en er zijn mensen die er geld in doen. Luid knarsend houdt een tram stil bij de halte. Gert kijkt hoe een nieuwe stroom mensen zich op het plein stort. Hij kijkt eens naar de stand van de zon. Als ze maar opschieten met zijn bestelling. Hij heeft nog een reisdoel. Aha, daar komt de friet al. Gert rekent meteen af, zodat hij na het eten zonder wachten weg kan. Hij merkt dat hij honger heeft. Zonder verder naar de omgeving te kijken, eet hij zijn friet op.

Wanneer Gert klaar is met eten, staat hij snel op om naar zijn volgende reisdoel te gaan. Hij heeft zich de route goed in het hoofd geprent. Hij loopt eerst terug naar de Dam, waar hij rechtsaf gaat. Achter het Nationaal Monument langs gaat hij de Warmoesstraat in, waar hij zijn ogen uitkijkt bij het zien van allerlei soorten eetgelegenheden en coffeeshops. Ook hier is het druk. Achter het raam van een coffeeshop ziet hij twee wat oudere mensen naar buiten zitten kijken. Hij piekert er niet over daar naar binnen te gaan, want drugs verwoesten je gezondheid.

Achter zich hoort hij ineens geschreeuw: 'Houd de dief! Hij heeft mijn portemonnee gestolen.'

Gert ziet een jonge vent opduiken, die recht op hem af komt. Dat is de dief, gaat het door hem heen. Iemand probeert hem te pakken, maar de dief duikt tussen de uitgestoken armen door en komt nog steeds recht op hem af. Gert blijft staan en wil hem pakken. Hij krijgt geen kans, want de rover is snel en duikt langs hem heen. Als Gert zich omdraait, ziet hij hem juist verdwijnen tussen de mensen.

'Zo'n brutale dief', hoort hij iemand zeggen.

'Ze moesten zulke tasjesrovers veel harder aanpakken. Het zijn allemaal draaideurcriminelen, die vandaag opgepakt worden en morgen, wanneer ze vrijkomen, hun slag weer slaan.'

Het opgewonden gepraat verstomt algauw, en de mensen gaan over tot de orde van de dag. Even later komen twee politieagenten te voet langs, gezellig met elkaar pratend. Zulke incidenten zijn hier aan de orde van de dag, begrijpt Gert.

Wanneer hij naar rechts een steegje in kijkt, ziet hij ineens een roodachtig licht schijnen. Hij voelt dat hij een beetje begint te trillen. Hij besluit het zijstraatje in te gaan, terwijl hij het oog strak op het raam met het rode licht gericht houdt. Ineens staat hij oog in oog met een al wat oudere vrouw in een slipje en een beha in een schemerig rode kamer. Dat is niet wat hij ervan verwacht had. Hij loopt snel door. Zijn ogen zoeken naar het volgende raam om te kijken. Daar ziet hij een jong blank meisje met volle borsten. Hij wil naar haar kijken, maar omdat vlak voor hem een groep jongeren loopt die allemaal seksueel getinte grappen maken, doet hij het niet en loopt hij verder. Uit een huis iets verderop, waarin de stoel bij het raam onbezet is, komt een man tevoorschijn die snel de deur dichtdoet, een keer naar links en rechts spiedt en vervolgens snel verdwijnt. Hij wil natuurlijk niet herkend worden, gaat het door Gert heen. Gert loopt verder en ziet dat bij het volgende raam een gebronsde schone staat, die hem echter evenmin bekoort.

Hij richt zijn oog weer op de ramen en staat ineens oog in oog met een stralende schoonheid die met haar armen op haar heupen staat en hem recht in het gezicht kijkt. Gert blijft gebiologeerd staan. Kent dat meisje hem? Hij kijkt haar langer aan, maar komt tot de conclusie dat het niet zo is. Intussen blijft zij naar hem kijken en tikt zij tegen het raam. Gert voelt zich ineens helemaal veranderen, omdat hij bepaalde verlangens krijgt, maar hij wil er niet aan toegeven en loopt snel verder zonder nog op de omgeving te letten.

Dan hoort hij orgelmuziek, en staat hij voor een kerkgebouw. Het is een oude kerk, en wanneer hij omhoogkijkt, ziet hij een prachtige toren. De muziek herinnert hem aan vroeger. Er komt een beeld bij hem boven van zijn moeder die naast hem zit in de kerk en hem waarschuwt goed te luisteren naar wat de dominee zegt. En ze zingen: 'God heb ik lief, want die getrouwe HEER hoort mijne stem, mijn smekingen, mijn klagen. Hij neigt zijn oor. 'k Roep tot Hem al mijn dagen. Hij schenkt mij hulp. Hij redt mij keer op keer.' Gert krijgt een akelig gevoel in zijn hoofd wanneer hij daaraan denkt. Vreemd, deze orgelmuziek klinkt mooi, veel mooier dan hij ooit gehoord heeft.

De deur van de kerk staat uitnodigend open, en Gert besluit naar binnen te gaan. Tot zijn spijt komt hij niet in de kerk zelf, maar in een klein portaaltje, waar een mevrouw achter een kassa zit. 'Entree vijf euro', staat op een bord. De deur gaat open en Gert hoort het orgelspel in volle glorie. Hij had nooit geweten dat een orgel zo mooi kon klinken. Wie had dat nu hier verwacht? Hij kan even naar binnen kijken en ziet hoge pilaren, een prachtig orgel en banken. Voordat hij het goed in zich opgenomen heeft, is de deur weer dicht. Even staat hij in dubio of hij de kerk zal gaan bekijken, maar dan bedenkt hij dat het niets voor hem is. Wat heb je nu aan een kerk, ook al is die nog zo mooi?

Gert besluit wat te gaan eten. Hij gaat de kerk uit. De gedachte komt onweerstaanbaar bij hem op nog eens langs dat meisje te lopen dat hij daarstraks gezien heeft. Hij weet nog wel ongeveer hoe hij gelopen is.

Zijn zoektocht brengt hem langs verschillende ramen waar hij niet moet zijn, en wanneer hij de moed al begint op te geven, ziet hij haar ineens weer. Zij kijkt hem aan alsof ze hem nog herkent. Wat is het een mooi meisje! Zijn ogen glijden over haar lange donkere haar, via haar verleidelijke ogen naar haar beha en dan verder naar beneden. Gert voelt dat zijn ademhaling sneller begint te gaan en dat zijn hart begint te bonken. Hij wil hier niet naar binnen. Hij wil hier weg. Toch kan hij het niet laten naar het meisje te kijken. Ze doet langzaam een van haar armen omhoog, en terwijl ze nadrukkelijk naar hem kijkt, wenkt ze hem. Hij blijft naar haar staren. Zijn voeten komen niet van hun plaats.

Gert voelt dat hij begint te hijgen en dat hij naar haar toe wil. Dan bedenkt hij dat hij met zichzelf afgesproken had dat hij alleen zou gaan kijken en niet naar binnen zou gaan. Hij heeft toch altijd een ijzeren wil? Waarom zou dat nu anders zijn? Zijn hart blijft bonken, en dan kan hij niet meer denken. Het enige wat hij weet, is dat daar een lekker meisje voor het raam staat en dat ze er voor hem is. Dan doet Gert een stap naar voren. Hij ziet dat het meisje met haar heupen beweegt, en die beweging brengt opnieuw een stroom van reacties in zijn lijf teweeg, zodat de volgende stap gemakkelijker is. Daarna zet hij weer een stap, dan nog een, en dan is hij bij de deur. Het lijkt wel een droom. Zijn trillende hand gaat naar de deurknop.

Op dat ogenblik gebeurt het. Terwijl hij de deur opendoet, hoort hij ineens een stem zeggen: 'Wie dorst heeft, kome tot Mij en drinke.' De stem treft Gert als een donderslag, en hij blijft met de halfopen deur in zijn hand staan, zonder verder te gaan. Wie zei dat? Zij zei het niet; het was geen vrouwenstem. Gert voelt zijn benen plotseling slap worden. Hij zoekt steun tegen de deurpost. Intussen is het meisje dichterbij gekomen. Ze fluistert: 'I love you.'

Gert gaat niet naar binnen. Hij kan het niet. Zijn armen en benen zijn zo slap dat hij niet verder kan. Wat was dat voor een stem? Wie riep hem? Met een flauwe en vermoeide beweging van zijn hand beduidt hij het meisje dat hij niet bij haar komt. Hij ziet dat zij hem boos aankijkt en ineens helemaal verandert. Het raakt hem niet. Het lijkt zich ver bij hem vandaan af te spelen.

Gert voelt zich nog duizeliger worden en zoekt steun tegen de muur. Hij kan hier het beste even gaan zitten en wachten tot het over is.

Wie riep hem? Wat was dat? Was het God?

Gert kan niet helder meer denken en blijft met zijn handen voor zijn gezicht tegen het huis zitten. Hij merkt dat mensen op de stoep iets omlopen, maar er is niemand die naar hem omkijkt. Wacht, hij zal zijn hoofd tussen zijn benen doen en dan met zijn handen op het hoofd drukken en met zijn hoofd tegendruk geven, zodat er weer bloed naar zijn hoofd stroomt. De duizeligheid gaat weliswaar grotendeels over, maar nu overvalt Gert ineens een enorme vermoeidheid. Hij is compleet uitgeput. Zo kan hij niet verder. Waar moet hij trouwens heen? Hij heeft geen zin meer om Amsterdam verder te bekijken. Het zal het beste zijn zo snel mogelijk terug te gaan naar zijn kamer in de stad.

Hoe lang hij daar zo gezeten heeft, weet hij niet. Wel merkt hij dat er ineens een stem is die hem roept. 'Gert', hoort hij luid en nadrukkelijk naast zich. Het is een andere stem dan die van daarnet, want dat was een mannenstem, en dit is een vrouwenstem. 'Gert', hoort hij weer, dringender en harder dan daarnet. Die stem kent hij. Het is de stem van Bianca. Is zij hier? Heeft zij hem daarnet ook geroepen?

Gert kijkt omhoog, recht in de ogen van Bianca. Zij is het inderdaad. Ze komt naast hem op de stoep zitten en vraagt: 'Gert, hoe kom jij hier verzeild?'

'Ik, ik ...', zegt Gert, maar hij komt niet verder. En dan gebeurt er iets wat hij zijn hele leven niet meer vergeten zal. Hij had Bianca afgeschreven, maar zij hem blijkbaar niet, want ze slaat een arm om hem heen. Zou ze door God gestuurd zijn, vraagt Gert zich af.

Omdat Gert niets meer zegt, vraagt Bianca: 'Ben je niet goed, Gert?'

Al Gerts energie is weg, en hij kan alleen maar flauwtjes met zijn hoofd knikken.

'Ik blijf bij je tot je beter bent, en dan gaan we naar het inloophuis', beslist Bianca.

Gert knikt opnieuw.

Ze blijft naast hem zitten, aldoor met de arm om hem heen geslagen.

Gert durft niet op te kijken. Hij kijkt naar de stenen van de straat en naar de voeten van de voorbijgangers. Hij weet niet wat hij moet doen. De mensen zullen hem wel een raar figuur vinden, en anders Bianca wel, denkt hij. 'Gaat het weer een beetje?', hoort hij haar stem even later weer. Wanneer Gert knikt, gaat ze verder: 'Zullen we gaan? Dan gaan we eten, en knap je misschien op.'

'Dat is goed', zegt Gert. Hij staat met veel moeite op. De moeheid zit nog steeds in zijn benen, en even dreigt hij zelfs te vallen.

Bianca slaat een arm om zijn schouder, en ze lopen samen weg.

Hij heeft geen oog meer voor de meisjes en vrouwen die achter de ramen staan. De wereld is voor hem ingestort.

Bianca loodst hem een paar straten door en dan gaat ze een gelegenheid binnen die op een café lijkt, doordat er ook tafeltjes staan. Maar het is geen café. Er zitten zwervers met lange baarden en oude jassen, die je niet verwacht in een café.

Gert begrijpt dat het een inloophuis is van een stichting die zwervers opvangt.

Bianca brengt hem naar een leeg tafeltje en zegt: 'Ga maar zitten. Dan haal ik eerst koffie.'

Gert kijkt haar na terwijl ze wegloopt. Hij verbaast zich nog steeds. Even later komt ze terug met de koffie. Gerts rechterhand sluit zich om het bekertje, en hij voelt de warmte van de koffie, terwijl de geur ervan in zijn neus dringt. Langzaam voelt hij zich helderder worden. Voorzichtig neemt hij een paar slokjes van de koffie. Dan kijkt hij Bianca weer aan. 'Jij wilt natuurlijk weten wat er aan de hand is?', vraagt hij.

'Eigenlijk wel. Wie ik hier ook verwacht had, jou niet', zegt zij glimlachend. 'Joh, ik was je al helemaal vergeten, en ik had absoluut niet aan je gedacht. Ik begrijp er niets van.'

'Was die stem van jou?'

'Ja, wat dacht je dan? Dacht je dat ik met de stem van een ander praat? Ik snap niet helemaal wat je bedoelt.'

Je riep: 'Gert.'

'Jazeker. Ik was stomverbaasd jou hier aan te treffen en ik zag dat je niet zo lekker in je vel zat. Ik moest wel een keer of drie roepen voordat het goed tot je doordrong.'

'En die stem daarvóór, was die ook van jou?'

'Wat bedoel je?'

'Net voordat ik jouw stem hoorde, hoorde ik een stem zeggen: "Wie dorst heeft, kome tot Mij en drinke."'

'Geen idee. Het lijkt wel een Bijbeltekst. Misschien heeft een engel je die in het oor gefluisterd. Maar dan nog begrijp ik niet waarom een engel zo'n tekst zegt. Is het echt een Bijbeltekst? Jij zult dat beter weten dan ik.'

'Volgens mij wel.'

'Waar staat die tekst?'

'In de Bijbel.'

'Dat begrijp ik, slimpie. Ik bedoel: waar staat die tekst in de Bijbel? In het Oude Testament of zo?'

'Ik dacht dat jij niets van de Bijbel wist.'

'Weet ik ook niet, maar ik houd mijn algemene ontwikkeling bij, en ik weet dat figuren als Mozes, Abraham, David en Jezus in de Bijbel voorkomen.'

'Volgens mij is die tekst een uitspraak van de Heere Jezus.'

'Daar kan ik me wel iets bij voorstellen. Hij was de man die de mensen naar Zich toe riep en Hij wil de dorst lessen van hen die dorsten naar geestelijke kennis, stel ik me zo voor.'

'Dat weet ik niet precies, hoor', weert Gert af.

'Maar nu heb je nog niet verteld wat er met die woorden aan de hand is. Hoorde je een stem in je hoofd of was het iets anders?'

'Ik hoorde geen stem in mijn hoofd. Het klonk zo luid en duidelijk dat er echt iemand geweest moet zijn.'

'Ik was het in ieder geval niet. Laten we het er maar op houden dat het je engel was. Ik wil het nu over iets anders hebben. Hoe kom jij hier eigenlijk verzeild?'

'O, zomaar. Ik wilde Amsterdam bekijken, en toen hoorde ik die stem.'

'En toen ging je van de kaart?' Ineens keert ze zich naar hem toe met een ondeugend lachje op haar gezicht. 'Gert, zeg eens eerlijk: wat wilde je gaan doen? Ik herinner me nog van een bepaalde avond dat jij iets van mij gedaan wilde hebben wat ik niet wilde. Heeft dat hiermee te maken? Zeg eens eerlijk.'

'Je hebt het aardig goed geraden', zegt Gert, terwijl hij een kleur als een boei krijgt.

'Ik heb eerlijk gezegd nog nooit gezien dat je rood werd. We zullen het er maar op houden dat je engel je een waarschuwing gaf. Wees er maar blij om, want wanneer je eenmaal bij de prostituees terechtkomt, ben je toch wel een heel eind weg. Houd me ten goede, hoor, ik wil geen kwaad woord over hen zeggen. Het is meer een mening over degenen die naar hen toe gaan.'

'Hoe kom jij hier?', vraagt Gert.

'Dat is helemaal niet zo toevallig. Je weet dat ik de opleiding SPH volg. In het kader daarvan loop ik hier stage bij het inloophuis. Waar kun je beter stage lopen voor zoiets dan in Amsterdam? De problemen liggen op straat, en soms ligt er een wel heel bijzonder geval', voegt ze eraan toe.

Gert gaat niet op haar laatste opmerking in, maar vraagt: 'Is het hier christelijk?'

'Hoe kom je daar nou weer bij? Je hoeft niet christelijk te zijn om mensen uit de goot te halen. Ik dacht trouwens dat jij afstand genomen had van je christelijke verleden.'

Gert vraagt zich af waar hij vanavond zal moeten blijven. Hij voelt zich nog niet in staat met de trein te reizen. Misschien weet Bianca een oplossing.

Het is alsof ze zijn gedachten geraden heeft, want ze zegt: 'Het zal voor jou misschien niet meevallen vanavond nog naar je kamer te gaan. Je kunt met mij meegaan en op mijn kamer slapen. Ik heb wel een bed over.'

Even komt bij Gert een gedachte op aan de avond toen hij haar wilde dwingen bij hem te blijven slapen. Hij schaamt zich over zijn gedachten. Hij weet dat Bianca niet aan dergelijke dingen denkt.

'Wat mij betreft, gaan we meteen', zegt Bianca. 'Ik was net op weg naar mijn kamer.'

Gert voelt zich wat opgeknapt door de koffie. Naast elkaar lopen ze door de oude binnenstad van Amsterdam, op weg naar Bianca's kamer. Die bevindt zich aan de rand van de rosse buurt, niet ver bij het Centraal Station vandaan.

Gert ziet dat ze haar kamer leuk ingericht heeft, met licht behang en een megaposter van een paar spelende poezen aan de muur. Aan de korte kant staat een bureautje met een computer. Aan de andere kant is een tafel met een eetkamerstoel, en midden in de kamer staat een slaapbank tegen de muur. Gert blijft een beetje verlegen staan.

'Ik hang je jas op. Je kunt daar gaan zitten', wijst ze.

Wanneer ze terugkomt, staat Gert echter nog steeds.

'Waarom ben je niet gaan zitten? Zo ken ik je niet.'

'Je zei dat je een slaapplaats hebt, maar ik zie maar één bed', zegt hij.

Ze kijkt, net als daarnet, met een ondeugende glinstering in haar ogen naar hem, waarna ze zegt: 'Je bedoelt dat je ...'

Gert voelt dat hij rood wordt. 'Ik weet nog van die keer ...'

'Maak je niet ongerust, jongetje. Ik ontvang hier wel vaker vrienden. Ik heb een luchtbed en een slaapzak die precies in het keukentje passen. Je bent wel veranderd, merk ik. Zo preuts was je vroeger niet.'

'Ik weet toch hoe jij erover denkt', verdedigt Gert zich.

'O, en jij weet ook dat ik er nog net zo over denk als vroeger?' Weer lacht ze. 'Weet je wat? Ik ga iets lekkers klaarmaken, en dan gaan we gezellig bijpraten. Jij wilt zeker graag een pilsje? Dat was in jouw vriendengroep de gewoonte, weet ik.' Ze zegt het zonder een zweem van plagerij.

Even later komt ze terug met een pilsje voor Gert en ook een voor zichzelf. Daarna haalt ze lekkere worstjes. 'Die mogen allemaal op', zegt ze.

Ze drinken rustig, en intussen vertellen ze elkaar hoe het hun in de afgelopen tijd vergaan is.

Bianca vertelt dat ze bezig is met haar stage, en dat ze zich altijd aangetrokken gevoeld heeft tot mensen in de goot, misschien wel omdat zij er zelf maar ternauwernood aan ontsnapt is en ze zich daardoor in hun belevingswereld kan verplaatsen. Ze vindt het fijn hier te kunnen werken, ondanks de narigheid die ze tegenkomt. Ze heeft te maken met zwervers, jongeren die van huis weggelopen zijn en meisjes die gedwongen in de prostitutie zitten. Verder wordt er veel gestolen en gedeald. Ze heeft gezien dat veel mensen die hier komen, geen glans in hun ogen hebben.

Ze voegt eraan toe dat ze schrok toen ze Gert daar zag zitten, ook met zulke doffe ogen. Ze snapte er niets van, omdat ze hem kende als iemand die zijn eigen zaakjes goed voor elkaar heeft en van goede komaf is.

Bij het horen van die laatste woorden protesteert Gert heftig. 'Als je weet hoe mijn vader en moeder zijn, zou je dat niet zeggen.'

Ze legt in alle rust een arm op zijn schouder. 'Gert, zo bedoel ik het niet. Je ouders kunnen er misschien anders over denken dan jij, maar jij hebt geen rotjeugd gehad, zoals ik, en dat weet je zelf ook best. Ik begrijp echt niet wat jij hier te zoeken hebt. Ik denk werkelijk dat die stem van je engel was. Wees er maar dankbaar voor.'

'Waar kwam jij, toen ik op die stoep zat, zo gauw vandaan?'

'Ik was onderweg naar mijn kamer, en toen zag ik jou daar zitten en ik riep jou. Zo is het gegaan.'

'Waarom riep je mij dan? Ik heb jou toch weggestuurd?'

'Gert, je kunt je gevoel toch niet uitschakelen? Denk jij werkelijk dat ik iemand die ik in ellendige toestand ergens aantref, zomaar voorbij kan lopen? Ik kijk altijd of mensen op straat iets bijzonders hebben. Het is gewoon een soort tweede natuur geworden. Denk je werkelijk dat ik zo'n hekel aan je had dat ik je zou laten zitten? Echt niet.'

'Jij bent beter dan ik', zegt Gert.

'Laten we het daar nou niet over hebben. Ik heb zo veel slechtigheid meegemaakt in mijn leven. Volgens mij is iedereen goed en slecht tegelijk, heeft iedereen in ieder geval een donkere kant oftewel een *dark side*, zoals de Engelsen zeggen. Vertel jij eens hoe het jou vergaan is. Vertel ook eens iets over thuis.'

Gert wil Bianca, die hem vanavond zo geholpen heeft, nu niet teleurstellen, en hij begint over zijn jeugd. Hij vertelt over de boerderij, over de koeien en de varkens, over zijn vader en moeder en over Annelies en Wim. Hij vertelt over het bos waarin hij vroeger vaak gespeeld heeft, en hij ziet dat zij daarvan geniet. Hij had nooit geweten dat hij zo spannend over gewone dingen kon vertellen. Hij dacht altijd dat hij alleen toehoorders had als hij het over iets bijzonders had of iets bijzonders deed. Ineens schiet hem iets te binnen over het nest van een huiszwaluw. Hij vertelt hoe de vogels hun nest bouwen en hoe ze met een prachtige duikvlucht naar het nest toe vliegen om hun jongen te voeren. Gert geniet zelf van de beelden die hij oproept door zijn vertelling. Het is lang geleden dat hij echt genoten heeft van iets van thuis.

'Nu snap ik wel waarom je het daarnet over de Bijbel had. Het lijkt daar bij jullie het paradijs wel.'

'Dan ken je mijn ouders niet', zegt Gert ineens fel. De stemming slaat van het ene op het andere moment om.

'Ik geloof niet dat ze zijn zoals jij zegt. Volgens mij heb jij een totaal verkeerd beeld van hen. Hebben ze jou erg pijn gedaan?'

'Ik weet niet of ze me pijn gedaan hebben. Ik weet wel dat ze vreselijk zeurden. Ze zullen wel het goede met me voorgehad hebben, maar waarom moesten ze iedere keer weer over dezelfde dingen beginnen? Elke zaterdagavond wanneer ik thuiskwam, zeiden ze dat ik zo laat niet mocht thuiskomen van God.'

'Misschien was jij wel heel dwars in hun ogen.'

'Dat word je vanzelf wel, als je zo wordt opgevoed. Laten we erover ophouden, want hierover worden we het toch nooit eens.'

'Ik zou best eens met je ouders willen praten om hun kant van het verhaal te horen.'

Gert haalt zijn schouders op. Hij is geen psycholoog.

Daarna praten ze ontspannen over allerlei zaken, vrolijk van het ene op het andere onderwerp overstappend. Wanneer het tijd is om naar bed te gaan, stuurt Bianca hem, alsof het de gewoonste zaak van de wereld is, naar de keuken. Hij blaast zijn luchtbed op, doet zijn bovenkleren uit en kruipt in de slaapzak. Door een kier in de deur ziet hij dat het licht bij haar uitgaat, maar hij heeft er geen enkele behoefte aan naar haar toe te gaan.

Die nacht slaapt Gert in het piepkleine keukentje op een luchtbed, met zijn voeten onder de keukentafel. Althans, in de nanacht slaapt hij. In het begin kan hij niet in slaap komen. De gedachten tuimelen door zijn hoofd. Hij vraagt zich nog steeds af wat er op dat bewuste moment toen hij het huis wilde binnengaan, gebeurd is. Het was niet de stem van Bianca. Was het de stem van God? Maar dat kan toch niet? God spreekt toch niet zomaar tegen iemand? En in dat geval zouden andere mensen het ook gehoord moeten hebben, en zou er heel wat tumult ontstaan zijn. Of was het alleen maar een stem in zijn hoofd, en is hij bezig overspannen te worden? Je hoort tegenwoordig zo veel over stemmen. Het is in ieder geval bijzonder dat Bianca net kwam opdagen toen hij daar op de tegels zat. Hij weet zeker dat zijn moeder er de hand van God in zou zien, als hij het verhaal thuis zou vertellen. Bianca gelooft dat het bij hem thuis best meevalt, maar ze weet natuurlijk niet wat er allemaal gebeurd is. Hoe zou het morgenvroeg verdergaan? Zou Bianca hem zo snel mogelijk willen lozen of niet? Het was in ieder geval een bijzondere avond. Het vreemdst blijft hij die stem vinden die hij ineens hoorde. Nu ligt hij hier in de keuken ergens in een Amsterdams huis. Gelukkig is er niemand die op hem wacht. Hij weet zeker dat zijn moeder verschrikkelijk ongerust zou zijn als ze zou weten wat er gebeurd is. Morgenvroeg ...

13

Moeder Van den Berg is bezig met de afwas en laat haar gedachten de vrije loop. Ze gaan terug naar vroeger, toen ze net getrouwd was. Pa moest hard werken om de kost te verdienen, en de boerderij was zo groot niet. Om zes uur stond hij op om de koeien te melken, en 's avonds werkte hij altijd door totdat ze hem om een uur of acht voor de koffie riep. In de hooitijd in de zomer was het nog veel later. Het was een voordeel dat hij altijd dicht bij huis aan het werk was. Ze kon nog eens naar hem toe lopen als er iets was. Ook was hij er bijna altijd met het eten en de koffie. Het was alles bij elkaar een heerlijke tijd, waaraan geen einde kwam toen er kinderen kwamen, eerst Annelies, daarna Gert en toen Wim. Ze weet de momenten nog dat ze met de twee jongens tegelijk op schoot zat, en Annelies naast haar met een pop zat te spelen. Wat voelde ze zich gelukkig wanneer ze met z'n allen op zaterdagavond een wandeling over het zandweggetje maakten. De kinderen renden elkaar achterna, keken naar de vogels en de bloemen en zochten eikels en kromme takken, of ze deden met z'n allen boompje verwisselen. Ze wisten eigenlijk niet eens dat ze gelukkig waren, want het was heel vanzelfsprekend, en ze dachten dat het altijd zo zou blijven.

Er was structuur in hun gezin. Pa ging op vaste tijden koeien melken en varkens voeren, en ze aten altijd stipt op tijd. Wat kon ze zich blij voelen wanneer ze haar hele gezinnetje rondom de tafel zag. Die gelukkige tijd heeft jaren geduurd, ook toen de kinderen naar de basisschool gingen. Eerst bracht zij Annelies op de fiets weg naar de christelijke buurtschool, en vaak bleef ze even met deze of gene praten, zodat ze op de hoogte bleef van de nieuwtjes van de buurt. En op de terugweg haalde ze brood bij de buurt-bakker, die er inmiddels allang niet meer is. Toen Gert naar school ging, had ze twee kinderen op de fiets, maar dat ging ook, en toen Wim erbij kwam, kon Annelies zelf fietsen en gingen ze met z'n vieren naar school. Tijdens de koffie praatte ze met pa over de nieuwtjes van de buurt-schap. Later gingen de drie zelf op de fiets naar school, wat ze in haar hart jammer vond, omdat ze toen niet meer zo betrokken was bij wat er in de buurt gebeurde.

Het werk op de boerderij had zijn dagelijkse ritme, en zij had haar vaste bezigheden. Zo was het ook met de zondag. Ze gingen altijd twee keer naar de kerk, meestal met de auto, maar als het mooi weer was, gingen ze met z'n allen op de fiets. Ze zaten in de kerk altijd op dezelfde plaats. Op zondagmiddag gingen ze een poosje naar bed en 's avonds zaten ze gezellig bij elkaar of lazen ze een boek, en een en-kele keer zongen ze psalmen, waarbij zij achter het harmo-nium zat en de zang begeleidde.

Alles ging zijn gewone, rustige gang. Niets duidde erop dat er andere tijden in aantocht waren, maar dat was wel het geval. De veranderingen begonnen toen de kinderen van de basisschool kwamen en in de stad naar het vervolg-onderwijs gingen. Ze kwamen in contact met andere jon-geren, die soms heel anders dachten. Het was ook de tijd van de opkomst van de computer. Ze hadden de televisie gelukkig altijd buiten de deur kunnen houden, maar toen de kinderen ouder werden, kon dat met de computer niet meer. Annelies, Gert en Wim kregen computerles op school, en ze moesten werkstukken maken waarbij ze de computer nodig hadden. Zij heeft van het begin af aan een groot wantrouwen tegen dat ding gehad. In die mening kreeg ze steun van het kerkblad, dat wees op de grote gevaren ervan. Vooral toen internet gemeengoed werd, kon je van alles je huis binnen halen. Toen Annelies een computer kocht, hebben ze de eis gesteld dat die in de woonkamer zou staan, zodat te controleren zou zijn wat een ander deed. Vanaf dat moment is de computer voor haar een bron van ergernis geweest. De jongens deden altijd spelletjes en wilden niet meer op de boerderij werken. Als je hun iets vroeg, hoorden ze het niet. En dan al die ruzies tussen de jongens en Annelies. Die kon vaak haar eigen computer niet gebruiken doordat de jongens spelletjes aan het doen waren. Annelies was niet mis, en zeurde net zo lang totdat de jongens weggingen, maar het gaf wel vaak herrie.

Even denkt ze dat alle problemen ontstaan zijn door de komst van de computer, maar als ze eerlijk is, moet ze toegeven dat Gert daarvóór al dwars was. Met Wim had ze nooit problemen gehad, maar Gert deed al toen hij heel jong was, zijn eigen zin, al had ze toen nog niet in de gaten dat het steeds erger zou worden. Pa gaf hem wel eens een klap voor zijn achterwerk als hij iets deed wat niet mocht, zoals de trekker starten toen hij een jaar of zeven was, of als hij bij de stier in het hok kwam.

Later was hij altijd haantje-de-voorste en trok hij zich van niemand iets aan. Als niemand over een hek durfde te springen, deed Gert het wel. Als een sloot voor iedereen te breed was, nam Gert een aanloop en kwam hij erover. Het had ook zijn goede kanten. Als er een koe wild was met melken, kreeg Gert het dier in bedwang. Vooral jonge koeien die het melken nog niet gewend waren, deden wel eens wild. Gert bleef in zo'n geval rustig totdat het dier begon te schoppen om het melkstel los te krijgen. Dan gaf hij de koe een schop terug, die zij goed voelde. En als dat niet hielp, deed hij het nog een keer. Hij ging net zo lang door totdat de koe ermee ophield, en hij de baas was. Daarna ging hij rustig verder met melken, zonder dat je kon merken dat hij zich er erg over opgewonden had. Gert kon met vee omgaan als geen ander, en ook in rijden op de trekker blonk hij uit. Hij reed achteruit met de wagen met een gemak en een vaart alsof hij vooruit reed.

Pa wist toen niet goed wat hij ervan moest denken. Aan de ene kant bewonderde hij zijn zoon die zo veel voor elkaar kreeg, maar hij was ook wel eens jaloers, bijvoorbeeld wanneer het Gert lukte een koe rustig te krijgen, terwijl hij het niet voor elkaar kreeg. Ze vraagt zich af of daar misschien de wortel van hun verwijdering ligt: de bewondering werd minder, en de jaloezie werd meer. De verhouding tussen Gert en zijn vader verslechterde, zeker toen Gert aankwam met allerlei nieuwe ideeën over de inrichting van de varkensschuur en de verbouwing van de ligboxenstal. Hij had wilde plannen om het bedrijf te vergroten, zodat het voor twee mensen geschikt zou zijn, maar pa wilde dat niet, en daarin heeft hij gelijk gekregen, omdat alles wees in de richting van minder mensen op de boerderij. Zou dat kwaad bloed gezet hebben bij Gert?

Er kwam een moment dat Gert zich afkeerde van het werk op de boerderij, en toen was pa zo ver dat hij het best vond, omdat ze dan tenminste geen botsingen meer met elkaar kregen.

Toen Gert een jaar of vijftien was, ging hij samen met Wim naar de keet, terwijl ze wisten dat pa en zij het niet wilden hebben. In de keet was altijd popmuziek. Die hoorde je al van ver. Ze verafschuwt die muziek, die zo totaal anders is dan de psalmen en gezangen waarmee zij opgevoed is. In de keet was ook altijd bier. Je zag soms tientallen kratten bij de deur staan. Daar heeft Gert het drinken geleerd. Wanneer hij thuiskwam, stonk zijn adem naar bier. Ze zeggen dat er ook posters van halfblote meiden waren, maar dat heeft ze van horen zeggen, want zelf is ze nooit in de keet geweest.

Ze heeft de jongens heel wat keren vermaand, soms met tranen in haar ogen, daar niet heen te gaan, omdat het verwoestend was voor hun ziel. De eerste keer hoorde Gert haar aan, maar daarna luisterde hij niet eens naar haar wanneer ze erover begon, of hij maakte een opmerking in de trant van: 'Ga een keer mee', of: 'Mens, je leeft honderd jaar te laat.' Meestal zei ze daarna niets meer. Dat was maar het beste ook, want op Gert had ze toen al geen vat meer. Bestond er iemand die het wel had? Naar pa luisterde hij sinds hun verwijdering ook niet meer. Alleen wanneer pa een nieuwtje van de boerderij had dat Gert niet wist, leek er enige vertrouwelijkheid te zijn. Ze kreeg ook steeds minder greep op Wim, die zijn oudere broer als zijn grote voorbeeld zag.

Wat een geluk dat Annelies er was. Zij was zelfstandig en ging haar eigen gang, maar als het nodig was, hadden pa en zij steun aan haar. Op een of andere manier wist Annelies Gert te raken, niet door de baas te spelen, want Gert liet zich door niemand de wet voorschrijven, maar wel door met hem te redeneren. Gert en Annelies hadden allebei een goed verstand, en ze redeneerden en argumenteerden graag met elkaar. In de discussies was zij soms tegen hem opgewassen, en dat vond hij om de een of andere reden niet zo erg. Annelies bleef goed contact met hem houden, zelfs na een hevige ruzie over de computer, en dat vond ze knap van haar dochter.

Annelies heeft niet kunnen verhinderen dat Gert zich steeds verder van het gezin afkeerde, en – wat zij het ergste van alles vond – zich ook van God afkeerde. Over dat laatste heeft ze nog wel het meeste verdriet gehad. Haar handen blijven rusten op het aanrecht wanneer ze daaraan denkt. Het grootste verdriet in haar leven heeft met God te maken. Het allerergste is dat zij zelf niet bekeerd is. Toen ze jong was en nog geen verkering had, heeft ze een tijd gehad dat ze heel serieus was en veel met de dingen van de eeuwigheid bezig was. Toen was ze bang voor de hel en las ze veel in haar Bijbeltje, niet waar anderen bij waren, maar op haar slaapkamer, wanneer niemand het zag, want zoiets liet je niet aan anderen merken. Ze heeft geprobeerd haar zonden te zien, zoals de dominee in de kerk dat leerde. De dominee had het altijd over ontdekking aan de zonden. 'Je moet je zonden leren kennen voordat die door Christus vergeven worden', zei hij. Ze heeft heel wat over haar zonden nagedacht en ze heeft zichzelf onderzocht op kenmerken van het geloof. Soms dacht ze dat ze er iets van kende, maar wanneer ze de dominee in de kerk hoorde, of ze hoorde anderen praten, dan wist ze zeker dat ze geen geloof had. Zo bleef ze tobben, en dat is nooit overgegaan. Ze heeft het verlangen gehouden aan het Avondmaal te mogen gaan, maar ze heeft zich erbij neergelegd dat het niet zal gebeuren. Ook haar moeder is nooit aangegaan.

Wat heeft ze het moeilijk gehad met de godsdienstige ideeën van haar kinderen. Ook met de keus van Annelies voor een iets gemakkelijker godsdienst was ze het niet eens, en ze schrok toen haar dochter verkering kreeg met Peter, die van een andere kerk was. Ze kon zich niet voorstellen dat Annelies voor een andere kerk zou kiezen. Dat heeft ze uiteindelijk ook niet gedaan. Peter en Annelies hebben er, toen ze trouwden, voor gekozen naar de kerk van Annelies' ouders te gaan, en je kunt nooit merken dat ze dat een verkeerde keuze vinden. Ze gaan elke zondag twee keer naar de kerk en zijn op hun manier heel serieus. Ze heeft soms wel eens haar vragen, want Annelies gaat tegenwoordig aan het Avondmaal, maar zij heeft haar nooit over haar zonden horen praten, en ze heeft nooit verteld hoe ze aan het geloof gekomen is. Gods volk moest er vroeger diep door, maar tegenwoordig gaat het allemaal veel gemakkelijker. Ze durft er met Annelies niet over te beginnen, bang dat ze ruzie met haar zal krijgen, terwijl ze met haar dochter juist zo goed overweg kan. Ze begrijpt best dat het geloof iets persoonlijks is, waarover alleen de Heere kan oordelen, maar het doet haar toch verdriet dat haar dochter zo gemakkelijk aan het Avondmaal gaat. Het zal vreselijk zijn als je meent in de hemel te kunnen ingaan en je moet buiten blijven staan. Beter is het honderdmaal te twijfelen dan één keer de foute keuze te maken.

Wim ontwikkelt zich in evangelische richting, en dat vindt ze veel erger. Tegenwoordig gaat hij vaak met zijn vriend Harm mee naar evangelische bijeenkomsten, waar ze opwekkingsliederen zingen en waar een band is. Evangelischen kennen de volwassendoop en vinden een predikant ook niet zo belangrijk. Het is haar een raadsel hoe Wim het beproefde, van de vaderen overgeleverde geloof kan verlaten. Bij de evangelischen hoef je helemaal geen zonde te kennen, lijkt het. Daar is het allemaal 'Halleluja, geloofd zij de Heer'.

Pa is anders, veel nuchterder. Hij doet zijn werk op de boerderij, leest op gezette tijden in de Bijbel, gaat 's zondags naar de kerk, maar denkt er niet al te diep over na. 'Het geloof kun je zelf niet werken. Het is een gave van God', is zijn stelling. Toen hij jong was, luisterde hij ook wel naar popmuziek en kwam hij wel eens in cafés. Dankzij haar doet hij dat niet meer, maar ze betrapt hem er wel eens op dat hij met zichtbaar genoegen een werelds deuntje fluit, zoals 'Kom van dat dak af' of dat vers over het land van Maas en Waal van ene Boudewijn. Tegenover de kinderen kiest hij altijd haar kant, en dat is heel gelukkig, maar echte inhoudelijke steun heeft ze niet van hem. Hij kan zich wel opwinden over Gert, maar het is voor haar de vraag waarom hij dat ten diepste doet. Hij is erg op gehoorzaamheid gesteld. Pa zegt altijd dat er in het vijfde gebod niet voor niets staat dat kinderen naar hun ouders moeten luisteren. Hij heeft ook een gruwelijke afkeer van allerlei moderne vormen van meeregeren, zoals inspraak en medezeggenschap. Volgens pa ontstaat daardoor de onrust in de maatschappij. Zijn familie is van generatie op generatie boer geweest. Pa heeft haarfijn in de gaten dat er een heel andere tijd is aangebroken. Het is jammer dat hij denkt het probleem op te lossen met het eisen van gehoorzaamheid en dat hij zich vastklampt aan tradities. Wanneer je hem hoort, krijg je de indruk dat de boerenzonen vroeger allemaal lieverdjes waren, die helemaal in het voetspoor van hun ouders gingen. Zij weet wel beter.

Hij heeft met zijn gehoorzaamheidseisen bij Gert in ieder geval geen succes gehad. Die jongen heeft een sterke eigen wil, en ze kan het aantal botsingen tussen hen niet meer tellen. Op een keer vond Gert het saai worden in de keet en ging hij met Wim naar het café in de stad. Ze is er nog steeds niet achter wanneer dat voor het eerst geweest is, want ze gingen er 's avonds heen nadat ze naar de keet gegaan waren. Het zal wel gebeurd zijn toen hij een scooter had gekocht. Gert werkte hard, zodat hij geld genoeg had voor een scooter, en vanaf dat moment was de afstand naar de stad eenvoudig te overbruggen.

Wat heeft ze een verdriet over die twee gehad, vooral toen ze op zaterdagavond steeds later thuiskwamen. In het begin waren er heftige scènes. Pa was in staat de deur op slot te doen als ze niet op tijd thuis zouden komen. Dat heeft zij weten te voorkomen, omdat ze bang was Gert dan helemaal kwijt te zullen raken. Soms voelde ze zich schuldig als ze na zo'n late thuiskomst niets of bijna niets had durven zeggen. Ze geloofde dat ze dan de eer van mensen liever had dan de eer van God, en dan nam ze zich voor hem de volgende keer weer te waarschuwen. Dat deed ze dan ook, en het luchtte haar een beetje op dat ze de Heere niet ontrouw was door te zwijgen, maar het hielp niets, want Gert bleef even onverschillig en hij kwam er niet vroeger door thuis.

Het was een opluchting voor haar, al zal ze dat nooit toegeven, en ook voor pa, al zal die dat ook nooit zeggen, toen Gert aankondigde op kamers te zullen gaan. Het was zo geen leven meer. Ze bidt nu elke dag voor hem, voordat ze 's avonds naar bed gaat, en vraagt God of Hij hem wil bewaren. Het gaat vast niet goed met hem, want hij is al maanden niet meer thuis geweest. In het begin kwam hij vaker thuis dan tegenwoordig, en ze vond hem toen al steeds onverschilliger worden, wat ze aan zijn taalgebruik kon merken. Het lijkt erop dat hij alle banden met zijn familie wil verbreken en helemaal zonder God wil leven. Het is een vreselijke gedachte, maar toch blijft Gert haar jongen die zij onder haar hart gedragen heeft.

Hoe laat is het eigenlijk? Zie je wel, ze heeft hier veel te lang gestaan. De gedachten draaien almaar rond in haar hoofd. Ze heeft er de laatste tijd steeds meer moeite mee haar hoofd rustig te krijgen. Annelies zegt wel eens dat het goed zou zijn er een poosje tussenuit te gaan, maar dat doe je toch niet? Ze kan haar man toch niet in de steek laten? En waarom zou ze weggaan, terwijl ze in zo'n prachtige omgeving woont, waar ze lange wandelingen kan maken als ze wil. Anderen komen juist naar deze omgeving om vakantie te houden. En denkt Annelies werkelijk dat ze haar zorgen om Gert niet zal meenemen?

Zal ze vragen of Annelies koffie komt drinken? Misschien kan ze dan haar sombere gedachten van zich af zetten. Meteen doen. Ze loopt naar de telefoon en toetst het nummer van Annelies in.

'Ja, Annelies, met je moeder.'

'...'

'Ik dacht, als je niets te doen hebt, kun je wel koffie komen drinken.'

'...'

'Tot zo.' Moeder legt de telefoon neer en heeft ineens de neiging te gaan zingen: 'God heb ik lief', maar het wordt: 'Ik lag gekneld in banden van de dood.'

Ziezo, even de kamer opruimen, de was in de wasmachine doen, stoffen en dan koffiezetten, zodat alles aan kant is wanneer Annelies komt. Pa zal zo ook wel binnenkomen. Heeft ze nog een lekkere koek in de kelder om hen te verwennen?

Kijk toch eens hoe mooi de zon schijnt. Dat ze daar nu helemaal geen erg in gehad heeft vanmorgen. De zonnestralen maken alles anders. Ze zorgen voor schaduw met een grillig lijnenspel onder de eikenbomen, en voor mooie lichtbundels tussen de bladeren door. De zonnestralen geven kleur aan het bestaan en wijzen heen naar de Heere Jezus, het Licht der wereld.

Drie kwartier na het telefoongesprek draait de gele Opel Corsa met de donkere streep het erf op. Annelies toetert als teken dat ze gearriveerd is. Moeder gaat snel naar buiten om haar te begroeten. Annelies is inmiddels uit de auto gestapt, loopt naar haar moeder en geeft haar pardoes een kus op haar wang.

'Gekkerd,' zegt haar moeder, 'dat moet je niet doen.'

'Is pa er ook?'

'Hij zal nog wel bij de koeien zijn. Ga maar even kijken, zou ik zeggen.'

'Als u meegaat', zegt Annelies, en ze trekt haar moeder aan haar arm. Die laat zich, een klein beetje tegenstribbelend, meevoeren, intussen bedenkend dat het voor pa ook wel leuk is dat zij weer eens in de stal komt. Ze is meestal binnen.

Pa stapt juist van de trekker.

Annelies roept: 'Hé, pa.'

Hij kijkt op en ziet haar. Er trekt meteen een blije glans over zijn gezicht.

Zij rent naar hem toe, net zoals ze vroeger deed, en slaat haar armen om hem heen.

'Pas op, meisje. Je moet om je kindje denken.'

'Sorry, ma. Ik was het even vergeten. Maar ik mag toch wel een paar stappen rennen? De dokter zei gisteravond dat alles goed was. Peter is mee geweest, en we hebben samen naar de harttonen van het kleine mensje geluisterd. Het was een hele belevenis.'

'Zo, en hoe gaat de baby heten?'

'Dat weten we nog niet. Dat duurt nog zo lang', weert Annelies af. 'Daar hoeven we het nu nog niet over te hebben. Misschien weten jullie een paar namen, zodat we daar rekening mee kunnen houden bij de naamgeving. Jullie zijn toch altijd zo voor inspraak', voegt ze er lachend aan toe. 'Moet het Sanne gaan heten, als het een meisje is? Dat schijnt tegenwoordig een populaire naam te zijn. Of Niels, als het een jongen is?'

'Je weet best hoe wij daarover denken', zegt moeder.

Haar vader plaagt haar door te zeggen: 'Je zou het kind ook een artiestennaam kunnen geven, zoals Robby of Oprah.'

'Hoe kent u die namen?'

'Je moet toch bijblijven in de wereld. Maar zonder gekheid, ik neem aan dat jullie je houden aan de gewoonte in de familie.'

'Oef, pa, dat weet ik niet, hoor. Wacht maar rustig af, zou ik zeggen.' Ze kijkt zo lief naar hem op dat hij niet boos kan worden. Trouwens, is hij ooit wel eens boos op haar geweest?

'Ik heb koffie', zegt moeder. 'Zullen we naar binnen gaan?'

'Ik wil de koeien best eens bekijken, want het is al zo lang geleden dat ik ze gezien heb.'

'Welja, ga jij maar koeien kijken. Dan ga ik vast koffie inschenken.'

Moeder loopt terug naar huis, terwijl Annelies en haar vader naar het hek lopen en samen naar de koeien kijken. Pa leunt voorover op het hek, zoals gewoonlijk, en Annelies kijkt aandachtig naar de koeien die dichtbij lopen. De meeste kent ze wel.

'Mooie koeien, hè?'

'Het doet me altijd weer plezier wanneer ik de koeien zie, maar ik wil het even over moeder hebben', zegt Annelies. 'Over een paar weken is ze jarig en wordt ze vijftig. Dat is toch wel een bijzondere verjaardag, waar we allemaal bij moeten zijn.'

'Natuurlijk', zegt haar vader, wiens gezicht verraadt dat hij niet weet waar ze naartoe wil.

'Ik heb het idee dat Gert niet van plan is te komen. Hij komt de laatste tijd helemaal niet meer thuis.'

'Zou het wel goed met hem gaan?', vraagt vader.

'Ik weet het niet. Ik denk er wel eens aan hem daar op te zoeken. Ik heb dat één keer gedaan, maar toen was ik er meteen van genezen. Ik was er een uurtje, en dat was niet ongezellig, maar toen zei hij dat hij wegging, met de duidelijke bedoeling dat ik zou ophoepelen. Dat is niet bepaald gastvrij.'

'Zo is Gert.'

'Dat weet ik maar al te goed. Ik denk dat het niet goed met hem gaat, maar hij zal dat uit zichzelf nooit toegeven. Het is zo'n harde.'

'Het is zijn eigen schuld als het niet goed met hem gaat', zegt vader scherp, terwijl hij zijn dochter aankijkt. 'Moet je nagaan. Dat jong heeft de laatste tijd dat hij thuis was, niets anders gedaan dan ruziemaken. Ik hoef je toch niet alles te vertellen, wel?'

Op het knikje van Annelies vervolgt hij: 'Het enige wat je kunt hopen, is dat hij daar tot inkeer komt en in de gaten krijgt hoe verkeerd hij bezig is. Ik heb, toen hij nog thuis was, werkelijk alles gedaan om hem op het rechte spoor te houden. Het is me niet gelukt, en dat is me allemaal niet in de koude kleren gaan zitten.'

'Ik denk dat Gert veel te eigenwijs is om op enig moment uit zichzelf terug te keren naar huis. Volgens mij geeft hij het nooit op en gaat hij nog liever als zwerver over straat dan zijn ongelijk te erkennen.'

'Er komt nog iets bij. Ik zou hem niet eens zo graag thuis zien, want dan zou het zo weer het oude liedje zijn. Ik vraag me werkelijk af of Gert naar de verjaardag zal komen. Hij komt alleen als hij het zelf wil.'

'Vindt u het goed dat ik hem bel, of hebt u dat liever niet?'

'Dat moet je zelf weten. Maar ik zie er helemaal niets in. Kom, we gaan naar moeder toe, want ze zal wel met de koffie zitten te wachten.'

Tijdens de koffie vraagt Annelies aan haar moeder of ze al een idee heeft voor haar verjaardag.

Die kijkt een beetje verwonderd op en zegt: 'Gewoon, net als ieder jaar. Jullie zullen er wel zijn, en de ooms en tantes komen natuurlijk ook.'

'Ma, je wordt vijftig jaar. Dat is toch iets bijzonders?'

'Dat kan wel zijn, maar daarom kunnen we toch nog wel gewoon blijven doen?'

'Kunnen we er niet voor deze keer iets bijzonders van maken, dat de eigen kinderen bijvoorbeeld 's middags komen, dat we daarna samen ergens gaan eten en 's avonds de verjaardag met de ooms en tantes vieren.'

'Ik moet er niet aan denken met z'n allen ergens te gaan eten. Daar doe je me echt geen plezier mee.'

'En als we de catering het eten hier laten brengen?'

Moeder aarzelt. Het idee staat haar wel aan, maar ze ziet ertegen op. Ze vraagt: 'Help jij me dan met de boel regelen? Want dan moet er natuurlijk van alles gebeuren.'

'Natuurlijk help ik, moeder. Misschien hoef je zelf wel helemaal niets te doen.'

'Zou Gert ook komen?', klinkt de wat benepen stem van moeder. 'Hij is hier al zo lang niet meer geweest.'

'Natuurlijk komt hij. Zal ik nu meteen bellen? Dan weten we het zeker.' Met die woorden pakt Annelies haar mobiele telefoon uit haar tasje en toetst het nummer van Gert in. Moeder wacht in spanning af hoe het gesprek zal verlopen en kijkt naar het gezicht van Annelies, dat meteen na het intoetsen oplicht, omdat haar broer blijkbaar aan de telefoon komt.

'Ha, Gert, met Annelies.'

'...'

'Valt je mee, hè, dat ik je nog bel. Andersom komt het tenminste niet voor. Ik geloof niet dat je me de laatste maand ook maar één keer gebeld hebt.'

'...'

'O, je bent zo druk voor school. Gaat het goed op school? Haal je je studiepunten dit jaar? Het zal wel, hè, want zo'n studiebol als jij slaat zich er wel doorheen. Ik zou wel eens willen kijken hoe het er op je kamer uitziet.'

'...'

'Waar ik je voor bel, is dat moeder bijna vijftig is, en ...'

'...'

'Ja, ja, de tijd gaat door. Ik dacht, jij hebt het misschien zo druk dat je de verjaardag van moeder helemaal vergeet. Daarom bel ik maar om je te vragen. Ik denk dat het goed voor je geest is als je een dagje niet studeert en naar huis komt voor het verjaardagsfeest.'

'...'

'O, je hebt feestjes genoeg. Ik meende dat je net zei dat jij altijd bezig was met studeren. Maar ook al heb je veel feestjes, dan kan een feestje voor moeder er toch nog wel bij? Ze wordt maar één keer in haar leven vijftig jaar.'

'...'

'Wat zeg je?'

Dan is de verbinding verbroken. Moeder ziet dat Annelies enigszins beteuterd naar haar mobieltje kijkt.

'Dat was een vreemd gesprek', zegt moeder.

'Zeg dat wel. Ik begreep het op het laatst niet helemaal. Volgens mij was hij niet alleen. Ik vermoed dat er een meisje bij hem was, die er ook iets over wilde zeggen, en dat hij toen met opzet de verbinding verbrak.'

'Het blijft een merkwaardig personage', zegt vader. 'Zolang ik hem ken, is hij eigenwijs geweest. Vanaf dat hij klein was, is hij gewend zijn eigen zin te doen. Het is eens gebeurd dat hij iets niet wilde eten en met zijn lepel op de tafel begon te slaan. Ik heb hem toen stevig aangepakt, maar het hielp niets, helemaal niets. Als ik dat bij jou of bij Wim gedaan zou hebben, zouden jullie gehuild hebben, maar Gert was overal immuun voor. Hij bleef maar doorgaan. Ik heb hem toen met kinderstoel en al opgepakt en op de gang gezet. Ik denk dat hij daar zeker een uur is doorgegaan met schreeuwen en slaan.'

'Gert is iemand met wie je geduld moet hebben', zegt Annelies.

'En jij wilt zeker zeggen dat ik dat geduld niet heb?'

'Niet altijd', zegt Annelies bedaard. 'Ik zeg niet dat ik alles goed doe, maar ik weet wel dat je bij iedereen met liefde en geduld van alles voor elkaar kunt krijgen.'

'Jij praat net alsof je al tien kinderen opgevoed hebt,' zegt haar moeder, 'maar ik wil wel eens zien wat jij ervan terechtbrengt.'

'Zo ver is het nog niet, en ik zeg niet dat ik het er zo goed af zal brengen, hoor', zegt Annelies glimlachend.

'Voordat je het weet, ben je moeder en zit je midden in de kleine kinderen.'

'Kinderen zijn een zegen van de Heere. Dat zegt u altijd zelf, moeder. Ik ben blij dat ik zwanger ben, en ik hoop goed voor de baby te zorgen en het kind voor de Heere op te voeden.'

'Dat dachten wij ook toen we de eerste kregen', antwoordt moeder op uiterst verdrietige toon, terwijl haar mondhoeken naar beneden trekken.

'Vindt u dat alles mislukt is?', vraagt Annelies.

'Ik wil het over jou niet hebben,' zegt haar moeder, 'maar als ik naar de andere twee kijk, vrees ik het wel eens. Wim gaat een heel andere kant op dan wij hem voorgehouden hebben, en Gert doet precies wat hij zelf wil. Van hem komt helemaal niets terecht, maar ik ben wel verantwoordelijk. Eenmaal zal de Heere vragen wat ik er in dit leven van terechtgebracht heb.'

'Dan mag je toch pleiten op het werk van Christus?'

'Alsof dat zomaar gaat. Nee, Annelies, zo gemakkelijk gaat het allemaal niet.'

'Vrouw, jij bent niet overal verantwoordelijk voor', mengt vader Van den Berg zich in de discussie. 'Gert is verantwoordelijk voor zijn eigen daden, zeker nu hij de volwassen leeftijd bereikt heeft.'

'Maar hij blijft wel mijn kind', zegt moeder. 'En het zal van mijn hand geëist worden wat ik voor zijn opvoeding gedaan heb.'

'Meent u dat echt, ma?', vraagt Annelies. 'Gert doet het toch zelf verkeerd? Het zal toch van Gerts handen geëist worden? Pa zegt ook dat Gert al op jonge leeftijd heel eigenwijs was. Als u hem gewaarschuwd hebt, en hij doet het toch, is het niet uw schuld, maar zijn eigen schuld. Dat zegt Ezechiël ook, ik meen in het drieëndertigste hoofdstuk. Daarin zegt de profeet trouwens ook dat de Heere geen lust heeft in de dood van de zondaar, maar dat Hij graag wil dat een zondaar zich bekeert en leeft.'

'Laten we daar alsjeblieft niet over beginnen, want daar komen we toch nooit uit, Annelies. Je krijgt er alleen maar ruzie van. De een vindt dit, de ander dat. Je weet hoe wij erover denken.'

'Ja, maar het staat toch in de Bijbel?', houdt Annelies vol.

'Dat kan wel zijn, maar jij weet net zo goed als ik dat er over de uitleg altijd veel te doen geweest is, en ik wil het er niet meer over hebben.'

Annelies hoort aan de toon van haar moeder dat ze het over iets anders moet hebben.

Het gesprek gaat verder over koeien, varkens, het weer, de politiek, familie en buren. Helemaal bijgepraat verlaat Annelies omstreeks halftwaalf het ouderlijk huis.

14

'Gert, wie was dat?', vraagt Bianca.
'Dat was mijn zus', zegt Gert.
'Waar had ze het over?'
'Ze vroeg of ik op de verjaardag van mijn moeder wil komen, die binnenkort vijftig wordt.'
'En toen heb je 'nee' gezegd?'
'Dat moet ik toch zelf weten?'
'Zoiets doe je toch niet?'
Dan valt er een stilte tussen hen.

Toen Gert vanmorgen wakker werd, was hij nog steeds niet helemaal de oude. Het voorval van de vorige dag heeft een geweldige impact op hem gehad. Hij wist zich met deze dag geen raad, en daarom liet hij het initiatief over aan Bianca. Tijdens het ontbijt stelde zij voor naar het Vondelpark te gaan voor een wandeling. Ze moest vanmiddag en vanavond stage lopen, en dus had ze 's morgens tijd. Gert, die er om een of andere reden tegen opzag terug te gaan naar zijn kamer, had ja gezegd. Ze hebben bij het Centraal Station tramlijn 1 naar het Vondelpark genomen. Gert had niet veel oog voor het park, dat in de jaren zestig landelijke bekendheid kreeg. De stem van gisteren liet hem nog steeds niet los, en het was voor hem nog steeds een raadsel wat er gebeurd was. In ieder geval speelde Bianca er een grote rol in.

En toen belde Annelies. Tijdens het gesprek was hij kwaad geworden. Hij was al heel lang niet meer thuis geweest, maar daar hoefde zij hem niet aan te herinneren.

Gert kijkt van Bianca vandaan terwijl ze verderlopen, en

hij zegt niets. Niemand heeft zich met zijn leven te bemoeien, ook Bianca niet.

'Gert, ik heb koffie en koeken meegenomen. Laten we even op een bankje gaan zitten', stelt Bianca voor.

Met tegenzin neemt Gert naast haar plaats, bang dat zij weer over het telefoontje zal beginnen.

Bianca schenkt voor beiden koffie in.

Gert pakt het bekertje van haar aan. Au, het is heet. Hij blijft met opzet van haar vandaan kijken, eerst naar zijn schoenen, die nodig gepoetst moeten worden, dan naar het pad, vervolgens naar het gras en de struiken, totdat zijn blik blijft rusten op een paar eenden in de vijver.

Het blijft een minuut stil. Dan verbreekt zij het stilzwijgen. 'Gert, je zegt zo weinig. Als je geen zin meer hebt in een wandeling, kunnen we ook naar het Rijksmuseum gaan, of naar het Van Goghmuseum.'

'Naar het Rijksmuseum nog wel, en dan al die oude schilderijen van Rembrandt, Frans Hals en al die andere halzen gaan bekijken? Dat is meer iets voor oude mannetjes.'

'Vind je het Van Goghmuseum ook niets? Dat is veel moderner.'

'Ik zou het niet weten. Ik ken Van Gogh niet. Ik heb me gewoon nooit geïnteresseerd voor schilderijen.'

'Van Gogh was net zo iemand als jij, vind ik. Hij ging thuis weg omdat hij het er te burgerlijk vond. Eerst kwam hij in Den Haag terecht, waar hij een poos samengeleefd heeft met een prostituee, die Sien heette.'

'Waar je me mee durft te vergelijken.'

'Dat was juist heel positief van hem. Hij probeerde haar te helpen, wat uiteindelijk niet lukte. Toen trok hij naar Drenthe, en later ging hij naar Frankrijk, waar hij gigantisch mooie schilderijen gemaakt heeft. Heb jij die zonne-bloemen van hem nooit gezien?'

'Ik niet. Waarom zou ik? Bij ons thuis waren ze absoluut niet in kunst geïnteresseerd. Bij ons in de huiskamer hing een schilderij van een heideveld met een herder bij onder-gaande zon. Ik heb er vaak naar gekeken, omdat ik niet al-tijd iets te doen had, maar ik zag er niets in. Van Rem-brandt heb ik natuurlijk wel zijn *Nachtwacht* op een plaatje gezien, maar daarop ben je ook gauw uitgekeken. Ik kan me werkelijk niets akeligers voorstellen dan een paar uur door een museum met oude schilderijen te dwalen.'

'En wat vind je dan van het Stedelijk, waar moderne schilderijen hangen?'

'Wat Stedelijk? Hoe bedoel je?'

'Het Stedelijk Museum. Daar hangt echte moderne kunst.'

'Moderne kunst is nog vreselijker. Ik heb eens een schil-derij van Mondriaan gezien, met allerlei rechte vlakken met veel rood en wit, meen ik. Ik had het gauw bekeken. Zoiets kan ik ook wel maken. En dan heb je nog zo'n gast. Karel Appel bedoel ik. Die heeft zelf gezegd dat hij maar wat aanrotzooit, en dat kun je wel zien ook. Het is toch schandalig zoiets te maken en er dan veel geld voor te vra-gen? Nee, ik zou niet naar dat museum willen gaan, al kreeg ik geld toe.'

'Je bent een echte cultuurbarbaar.'

Gert haalt zijn schouders op en zegt: 'Wat maakt het uit? Cultuur kun je niet eten.'

'Jij hebt alleen maar belangstelling voor dingen die je kunt eten of drinken, geloof ik. Je had ook altijd honger naar meisjes. Heeft het misschien iets te maken met die Bijbeltekst?'

Gert kijkt haar aan en zegt niets.

'Die tekst was toch zoiets als "Ga naar Jezus als je dorst hebt"?'

Gert vertrekt zijn mond tot een soort grimas en zegt: '"Wie dorst heeft, kome tot Mij." Dat heb ik gisteravond gehoord. Het lijkt inmiddels wel een week geleden. Ik zal die stem nooit vergeten, maar ik begrijp niet wie het zei, en ik snap ook niet goed wat het betekent.'

'De betekenis is volgens mij eenvoudig. Het gaat er toch om dat je naar Jezus moet gaan wanneer je een geestelijke leegte voelt. Ik kan me daar wel iets bij voorstellen. Wie een innerlijke leegte heeft, gaat abnormale dingen doen. De een gaat zich in de sport opwerken en wil graag de Tour de France winnen. Een ander wil rijk worden of gaat meisjes versieren. Ze zijn nooit verzadigd. Daarover staat ook iets in de Bijbel. Een paar jaar geleden, toen de *Nieuwe Bijbelvertaling* uitkwam, stonden er op stations stukken tekst uit het boek Prediker die ik best aansprekend vond. Eén tekst ben ik nooit vergeten. "Lucht en leegte, zegt Prediker, alles is lucht en leegte." En dit hele stuk heb ik toen uit mijn hoofd geleerd: "Welk voordeel heeft de mens van alles wat hij moeizaam heeft verworven? Hij jaagt het na en zwoegt ervoor onder de zon, maar alle dagen van zijn leven brengen hem verdriet, alles wat hij onderneemt, brengt hem niets dan smart. Zelfs 's nachts vindt hij geen rust. Ook dat is leegte." Die woorden zijn mij uit het hart gegrepen.'

Gert kijkt met verbazing naar haar en vraagt: 'Ben jij dan christelijk?'

'Helemaal niet. Hoe kom je erbij, het hoort gewoon bij je algemene ontwikkeling iets van de Bijbel te kennen, en ik moet eerlijk zeggen dat ik getroffen was toen ik dat las. Er staan absoluut woorden van wijsheid in dat boek, en ik heb van Jezus ook wel eens een uitspraak gelezen die me bijgebleven is.'

'Welke dan?'

'"Heb je vijanden lief." Die tekst is niet moeilijk te onthouden. Hij heeft daar Zelf ook naar geleefd, maar Zijn volgelingen jammer genoeg niet. Christenen voeren gerust oorlog, en ze maken dikwijls ruzie. Als iedereen zijn vijanden zou liefhebben, zou er geen ruzie en geen oorlog zijn en kon het Journaal afgeschaft worden. Wat zouden er dan veel televisiemakers werkloos zijn.'

'Nu weten we nog niet wat we verder gaan doen', zegt Gert, die zich niet goed raad weet met dit onderwerp.

'Ik wacht nog op een antwoord van jou.'

'Wat wil je dan weten?'

'Ik weet nog steeds niet waarom je niet naar de verjaardag van je moeder wilt. Heb je vijanden lief, Gert.'

'Dat vind ik flauw van je.'

'Niks flauw. Ik meen het. Het is toch te gek voor woorden dat je niet naar de verjaardag van je moeder wilt, en dat terwijl je misschien wel tien keer de tekst "Heb je vijanden lief" gelezen hebt.'

'Volgens mij is die tekst in mijn Bijbel anders.'

'Bestaat niet. Vijanden is vijanden, en lief is lief. Iets anders: heb jij zo'n slechte moeder?'

'Slecht? Wat is slecht? Ik geloof niet dat ze slecht is in de zin zoals jouw vader dat was, maar ze is wel heel irritant door altijd te zeuren over dezelfde dingen en zich altijd met mij te bemoeien.'

'Hadden mijn ouders zich maar een beetje meer met mij bemoeid toen ik jong was', zegt Bianca zacht, terwijl ze een beetje triest voor zich uit kijkt. Dan kijkt ze hem weer aan en zegt: 'Weet je, volgens mij heb jij geen slechte ouders, maar is er gewoon sprake van een communicatiestoornis. Waar ging het helemaal over?'

'Elke zondag moest ik twee keer mee naar de kerk. Op zaterdag mocht ik niet naar het café. En toen ik toch ging, moest ik altijd vóór de zondag thuiskomen. En ze hadden het voortdurend over de Bijbel, totdat ik er ziek van werd.'

'Ik begrijp dat allemaal niet zo, maar ik kan niet snappen waarom je er boos over wordt.'

'Als je moeder elke zaterdagavond tegen je begint te zeuren dat je gezondigd hebt en dat je naar de hel gaat, is het huis uit gaan op het laatst het beste wat je kunt doen en het enige waar je nog aan denken kunt. Dan hoef ik het nog helemaal niet te hebben over het feit dat ze niet wilde dat ik naar popmuziek luisterde en dat ik computerde.'

'Echt? Dat laatste snap ik al helemaal niet. Maar je kunt je moeder toch respecteren door haar die mening te laten houden?'

'Dat is het juist. Ze wilde haar mening aan mij opdringen, en ...'

'Dat pikte meneer niet.'

'Dat zou jij ook niet doen.'

'Hoe het ook zij, je hebt iets tegen je ouders, en daarom kom je niet meer thuis. Het betekent wel dat je in feite niet boven jezelf uitkomt. Mensen hoeven het niet met elkaar eens te zijn om toch met elkaar te kunnen omgaan. Ik vind het nogal wat je moeder niet eens te gaan feliciteren wanneer ze vijftig wordt, alleen maar omdat je over sommige dingen anders denkt dan zij. Joh, het is ook niet goed voor je eigen ontwikkeling. Je kunt – door zo te doen – een trauma oplopen waar je je hele leven niet overheen komt. Ik hoor aan je stem dat je vol frustratie zit. Je kunt wel doen alsof er niets aan de hand is, maar het moment komt toch een keer dat je de rekening gepresenteerd krijgt. En misschien had de stem die je gisteren hoorde, daar wel mee te maken.'

Gerts blik blijft haken op de ruwe stam van een boom. Hij kijkt aandachtig naar elk stukje van de schors, terwijl hij blijft zwijgen.

Bianca vraagt even later: 'Wil je nog een keer vertellen hoe het met die stem precies gegaan is?'

'Het is heel simpel. Ik liep daar, en toen gebeurde het ineens. Het ging allemaal zo snel als wat.'

'Je gaat te snel. Waarom liep je daar eigenlijk? Je hebt me zelf verteld dat je ergens naar binnen wilde gaan.'

'Ja', zegt Gert aarzelend, omdat hij zich een beetje schaamt. 'Ik was erheen gegaan met de bedoeling de rosse buurt te bekijken, en toen ik daar was, zag ik een knappe vrouw staan die me wenkte. En toen wilde ik naar binnen gaan.'

'Je mag van geluk spreken dat dat niet gebeurd is. Ik houd het erop dat je een beschermengel hebt die je wilde waarschuwen. Het kan ook te maken hebben met de spanning waarin je op dat moment verkeerde. Toen kwam er een tekst bij je boven. Vraag me niet waarom het juist die tekst was.'

'Mijn moeder zou zeggen dat het de stem van God was, die me een laatste waarschuwing wilde geven.' Gert lacht schamper.

'Ik vind het nog niet eens zo'n gek idee. Als je gelooft dat God bestaat, zal Hij je toch willen waarschuwen voor verkeerde dingen? Man, je mag blij zijn met zo'n stem. Ik kan me daar eerlijk gezegd nog wel iets bij voorstellen ook. Mijn geweten zegt me ook dat ik bepaalde dingen wel of niet moet doen, en meestal luister ik naar dat geweten.'

Opnieuw lacht Gert, en hij zegt erbij: 'Bianca, waarom zou God mij willen waarschuwen? Thuis wilde ik nergens naar luisteren, en toen ik alleen woonde, ging ik ook mijn eigen gang. En dan zou God mij nu ineens willen waarschuwen. Hij had me beter veel eerder een seintje kunnen geven.'

'Gert, ik weet het ook niet, maar wie zou het anders gedaan moeten hebben? Het is toch niet toevallig dat ik er juist op dat moment was? Als het niet gebeurd was, was je naar een prostituee gegaan, en dan zou het vermoedelijk van kwaad tot erger gegaan zijn.'

'Dat geloof ik niet', zegt Gert. 'Ik geloof niet dat het met mensen die naar de hoeren gaan, van kwaad tot erger gaat. Ik heb wel eens gehoord dat er een heleboel mensen zijn die een keurig leven leiden en er regelmatig heen gaan.'

'Gert, het geldt niet voor iedereen, maar toch wel voor nogal wat mensen, dat afglijden en prostitutie dicht bij elkaar liggen. Ik ben helemaal niet gelovig, maar wat ik wel geloof, is dat je in dit leven een morele standaard moet hebben. En die heb je volgens mij niet – ik zeg het maar eerlijk – als je naar de hoeren gaat. Neem me niet kwalijk, hoor, maar ik heb ook wel eens aan jouw morele standaard getwijfeld.'

Gert geeft geen antwoord.

'Gert, ik hoop niet dat je boos wordt als ik je een gunst vraag.'

'Natuurlijk niet, Bianca. Hoe zou ik boos kunnen worden op jou?'

'Gert, wat zou jij ervan vinden als ik meeging naar de verjaardag van je moeder? Als je moeder begint te zeuren, zal ik je helpen.'

Het voorstel verrast Gert, al begrijpt hij niet waarom ze het hem vraagt. Hij denkt er even over na. Waarom zou hij met Bianca naar de verjaardag van zijn moeder gaan? Hij heeft geen verkering met haar, en thuis plaatsen ze haar natuurlijk meteen in het hokje van de heiden, want ze zal natuurlijk in haar spijkerbroek komen en opgemaakt zijn.

Aan de andere kant is het een feit dat hij geen zin heeft om te gaan en dat het dan wel eens makkelijk kan zijn niet alleen aan te komen. Bianca onderbreekt zijn gedachten. 'Joh, neem het niet zo zwaar op. Het was zomaar een inval van me. Ik was nieuwsgierig geworden door al die verhalen die je over thuis verteld hebt. Ik wil graag eens in zo'n milieu komen.'

Gert kijkt haar aan, en ineens is er weer de vonk uit haar ogen die overspringt. Ze heeft iets onweerstaanbaars, en hij weet dat hij graag in haar nabijheid is, ook al wil zij niet meer dan vriendschap.

'Stel je er niet te veel van voor. Je moet niet denken dat ze je met open armen ontvangen, want ze zijn erg gereserveerd tegen anderen. Het kan best zijn dat je de afkeuring op hun gezicht leest en dat ze je van het begin af aan wegkijken. Als je met een spijkerbroek aan komt, ben je meteen al afgekeurd en ...'

'Nou, dan trek ik voor die gelegenheid toch geen spijkerbroek aan. Wat hebben ze dan graag? Gewoon een gladde broek?'

'Nou, je kent de refo-wereld helemaal niet, merk ik wel. Ze willen dat je een rok aantrekt.'

'Sorry, Gert, ik had het kunnen weten. We hebben er op school les in gehad, toen we het over uiterlijke cultureel bepaalde factoren bij bevolkingsgroepen hadden. Zoals de moslimvrouwen hun hoofddoekjes hebben, zo hebben de strenge christenvrouwen hun rokken. Je vindt het toch niet vervelend dat ik zo reageerde?'

'Wat kan het mij schelen hoe jij reageert. Wat ik wilde zeggen, was dat je niet weet wat je boven het hoofd hangt. Wanneer je binnenkomt, kijken ze meteen of je wel een rok aan hebt, of je wel lang haar hebt, of je geen oorbellen in je oren hebt en nog een paar van zulk soort dingen. Voldoe je niet aan alle uiterlijke kenmerken, dan ben je afgeschreven.'

'Lang haar heb ik, en die oorbellen kan ik toch uitdoen?'

'Dat moet je juist niet doen. Het helpt niets als je je aanpast, want ze vinden altijd wel iets, omdat je niet bij hun groep hoort. Je reageert anders op een grapje, je lacht terwijl je niet moet lachen of je lacht niet terwijl je wel moet lachen of je eet met mes en vork.'

'Met mes en vork eten, haha. Dat heeft er toch niets mee te maken?'

'Jazeker wel. Ze letten op allerlei kleinigheidjes. Bij ons thuis zijn ze niet gewend met mes en vork te eten, en als anderen het wel doen, zitten die anderen meteen al op achterstand.'

'Dan eet ik toch niet met mes en vork.'

'Bianca, ik word een beetje moe van jou. Ik bedoel te zeggen dat je het als buitenstaander nooit goed doet. Je probeert je op allerlei manieren aan te passen, zeker wat je uiterlijk betreft, en je let overal op. En dan vragen ze je wat je wilt drinken en je bestelt pils, en je hoort er niet meer bij, omdat meisjes geen pils behoren te drinken. Nu moet je niet gaan zeggen dat je dan geen pils zult bestellen, want het was maar een voorbeeld. Er kunnen nog honderd en een andere dingen zijn waardoor je buiten de groep valt. Als je werkelijk mee wilt gaan, kun je het beste gewoon doen zoals je altijd gewend bent en jezelf zijn. Dan zie je vanzelf wel wat er gebeurt.'

'Zo zit ik niet helemaal in elkaar. Ik pas me graag aan in een gezelschap; dat ben ik gewend. Je moet toch respect hebben voor mensen, waar dan ook, of je nu een blanke of een neger voor je hebt, een rijke zakenman in driedelig pak of een zwerver met een gescheurde jas?'

Gert kijkt haar van opzij aan. Hij is getroffen door de laatste woorden: respect hebben voor een zwerver. Ineens krijgt hij de wereld van verschil tussen hem en Bianca in de gaten. Hij wilde altijd stoer doen en de beste zijn, zodat de mensen naar hem zouden opzien. Bianca heeft een sterke overtuiging dat iedereen de moeite waard is. Het dringt tot hem door dat hij daarom graag bij haar is: zij heeft respect voor hem om wie hij is, en dat was met al die andere meiden niet het geval. Ze lijkt wel een beetje op zijn zus Annelies. Hij voelt zich warm worden vanbinnen, en hij moet zeggen dat het idee samen met Bianca naar de verjaardag van zijn moeder te gaan hem ineens buitengewoon aanstaat.

Het wordt tijd dat ze opstaan en verdergaan. Ze zouden anders de hele tijd verpraten. Blijkbaar heeft Bianca dezelfde mening, want zij is inmiddels overeind gekomen en trekt hem omhoog.

'Ik zal opa wel even helpen', zegt ze.

'Als je nog een keer 'opa' zegt, wil ik je niet meer zien', plaagt Gert.

'Ik zal het niet meer doen, opa', plaagt ze hem terug, terwijl ze haar tong uitsteekt.

Gert wil zijn ene hand lostrekken, maar ze houdt zijn handen stevig vast.

'Word nu maar eens rustig', zegt ze. 'Dan komt alles goed. Zeg, zullen we verderwandelen of zullen we wat gaan drinken op het Leidseplein, hier vlakbij? Als je wilt kunnen we ook naar de Kalverstraat, dat is een bekende winkelstraat, of we kunnen een wandeling langs de grachten maken. Ik weet dat je nogal van kerken houdt. Dus we zouden ook ...'

'Als je nu je mond niet houdt, wil ik niets meer met je te maken hebben', zegt Gert streng, maar zijn ogen lachen.

'Ik ga weg, en als jij hier blijft zitten, kom ik je aan het eind van de dag halen, opa, want jij kunt je hier in de stad toch niet redden. Je weet niet eens welke tramlijn je naar het Centraal Station moet nemen. Dag, Gert.'

Ze maakt haar handen los en loopt een paar stappen weg.

Gert laat haar lopen. Hij weet dat ze zich dadelijk zal omdraaien. En zo gebeurt het ook.

'Ik dacht dat je ging', zegt Gert. 'Zullen we iets gaan drinken op het Leidseplein?', stelt hij daarna voor. 'Hoeveel tijd heb je eigenlijk nog?'

'We hebben nog twee uur.'

Naast elkaar lopen ze het Vondelpark uit. Ze hebben nog twee uur.

15

Het is een mooie zaterdagmiddag in de zomer wanneer Gert en Bianca naar de verjaardag van Gerts moeder gaan. Het is voor Gert een vreemde gewaarwording de bekende boerderijen weer te zien nadat hij maanden niet thuis geweest is. Gert zit achter het stuur. Het is maar goed dat Bianca niet rijdt, want ze kijkt haar ogen uit wanneer ze in de buurt van zijn ouderlijk huis komen.

'Joh, het is alsof we met vakantie gaan', roept ze enthousiast wanneer Gert de zandweg op rijdt. 'Zo dadelijk stoppen we bij de camping en gaan we genieten.'

'Dat kon wel eens tegenvallen', bromt Gert, die het nog niet zo ziet zitten. Hij mindert vaart in de bocht bij het huis van Van Boven. 'Dit is het ouderlijk huis van Peter, die met Annelies getrouwd is', zegt hij.

'Wat wonen die mensen mooi.'

'Kijk, nu zie je hier tussen de bomen door ons huis', zegt Gert, terwijl hij naar de boerderij wijst waar hij geboren is. Hij voelt een zekere spanning bij zich opkomen. Bianca heeft hem onderweg verteld dat hij beter wat spanning kan hebben dan zich af te sluiten zoals hij gewend is. Door je af te sluiten overleef je wel, maar je gevoel verdwijnt of het gaat ondergronds een andere kant op, en dan krijg je soms uitbarstingen die je zelf niet wilt. 'Net zoals toen in Amsterdam', had ze eraan toegevoegd.

'Jullie wonen nog mooier dan Van Boven. Wat een mooie oude boerderij, schuren erbij, koeien in het land en dan die prachtige bomen als een lijst eromheen. Het lijkt wel een sprookje.'

'Wanneer je eenmaal binnen bent, is er van het sprookje weinig meer over', zegt Gert.

'Gert, niet zo negatief', waarschuwt Bianca.

Wanneer ze uit de auto stappen en zij een grote bos bloemen van de achterbank opgevist heeft, vraagt ze of er vanmiddag tijd is om naar de dieren te gaan en naar het melken te kijken. Gert bromt iets als antwoord. Hij voelt zich erg gespannen. Het liefst zou hij terugvallen in zijn oude stoere houding, maar hij doet het niet, om Bianca.

'De deur hoeft niet op slot', beduidt hij Bianca, die de knop van het portier al naar beneden geduwd had. 'Hier zijn geen dieven.'

'Dat kan ik me niet voorstellen. Maar het past wel bij het idee van het sprookje.'

'Het sprookje is bijna uit', waarschuwt Gert. Met langzame stappen loopt hij naar de deur toe. Het wordt hem makkelijk gemaakt, want zijn moeder verschijnt al in de deuropening. Gert let er met opzet niet op hoe zijn moeder op de spijkerbroek van Bianca reageert.

'Dag, moeder', zegt hij, terwijl hij naar haar toe loopt en haar een hand geeft. 'Gefeliciteerd met uw vijftigste verjaardag.'

Bianca, die pal achter hem loopt, geeft zijn moeder daarna een hand. 'Mevrouw Van den Berg, van harte gefeliciteerd met uw verjaardag. Ik ben Bianca, en ik mocht met Gert mee. Ik vind het een voorrecht hier te mogen komen. We wisten niet welk cadeau we voor u zouden kopen. Daarom geef ik u dit.'

Met die woorden overhandigt ze de grote bos bloemen die ze in haar linkerhand houdt.

'Dat is mooi', zegt Gerts moeder. 'Een geweldige bos prachtige oranje gerbera's. Ik zal ze straks in de vaas zetten. Kom maar mee naar binnen.'

Gert gaat als eerste. Daarna volgt Gerts moeder, en Bianca sluit de rij. Wanneer ze binnenkomen, valt er een stilte en kijkt iedereen naar Bianca. Gert weet dat ze haar nu keuren, en hij weet ook dat ze afgekeurd wordt om haar lange broek en haar oorbellen. Waar zijn ze aan begonnen? Gert loopt naar zijn vader toe, die hij ook feliciteert. Daarna doet Bianca hetzelfde. 'De rest ook gefeliciteerd', zegt Gert, terwijl hij snel rondkijkt, waarna hij een stoel opzoekt en gaat zitten. Bianca loopt de rij langs, geeft iedereen een hand en stelt zich voor. Gert volgt haar met zijn ogen terwijl ze van de een naar de ander loopt. Bianca kan goed met mensen omgaan. Ze praat even met zijn vader over de verjaardag en over de mooie omgeving. Daarna gaat ze naar Peter. Ze zegt dat ze weet dat hij met Annelies getrouwd is. Tegen Wim zegt ze dat ze al veel over hem gehoord heeft. Wim vraagt of het veel goeds was, waarop ze antwoordt dat hij vroeger een goede invloed op Gert gehad heeft.

'Nu niet meer,' zegt Wim, 'maar misschien heb jij het nu.'

Daarop heeft ze zo gauw geen antwoord, maar na een paar seconden zegt ze: 'Hij is nu volwassen.'

In andere gevallen had Gert zeker gereageerd wanneer ze het over hem hadden, maar nu besluit hij niets te zeggen, omdat hij de sfeer niet wil bederven.

Ten slotte geeft Bianca Annelies een hand, die haar uitnodigt naast haar te gaan zitten. Dat doet ze. Gert is er blij om dat het zo uitkomt, want Annelies kan met iedereen omgaan.

'Jullie zijn precies op tijd voor de koffie en het gebak', zegt moeder.

'Dat regel ik, moeder', zegt Annelies, en ze loopt naar de keuken. Gert kijkt eens om zich heen. Het is tenslotte maanden geleden dat hij thuis geweest is. Alles is hetzelfde gebleven. Alleen Annelies is veranderd. Ze is duidelijk al een tijdje zwanger.

'Wat ben jij stil, Gert. Dat ben ik niet van jou gewend', klinkt de stem van Peter na een aantal minuten.

'Mag ik ook een keer stil zijn?'

'*A sadder and a wiser man, he rose the morrow morn*, luidt een zin in een Engels gedicht.'

'Dat begrijp ik niet. Het enige wat ik snap, is het woord *wiser man*, en dat klopt wel, denk ik.'

'Ik bedoel er gewoon mee dat je daar in de stad wel een wijze man geworden zult zijn.'

'Volgens mij zei je ook nog iets anders.'

'Ja, dat klopt. Ik had het ook over *a sadder man*, en dat is een droeviger man. Ik weet natuurlijk niet of je dat ook bent geworden. Het was maar een zinnetje uit een Engels boek dat me ineens te binnen schoot. Het boek heette *The old man and the sea*.'

'Ik ken het boek niet. Ik zie dat Annelies dikker begint te worden.'

'Wist je niet dat ze in verwachting is?'

'Nee, niets van gehoord.'

'Ze is toch al heel wat maandjes heen. Dat heb je ervan als je zo weinig thuiskomt. Dan blijf je niet op de hoogte van wat er gebeurt.'

'Annelies heeft het me niet verteld toen ze me belde.'

Op dat moment komt Annelies aan met de koffie, en ze verontschuldigt zich voor het feit dat Gert er niet van op de hoogte is.

'Het is zijn eigen schuld', zegt Bianca. 'Hij had zelf ook geen interesse voor thuis. Dan kan hij toch niet verwachten dat ze wel interesse voor hem hebben?'

'Goed zo, neem jij het maar voor Annelies op', zegt

Peter. 'Ik ben het helemaal met je eens. Als Gert bijna nooit thuiskomt, moet hij er niet op rekenen dat ze hem op de hoogte houden.'

Gert voelt de terechtwijzing en ziet dat Annelies verwijtend naar Peter kijkt.

Na het inschenken van de koffie gaat Annelies weer naast Bianca zitten. Gert luistert naar hun gesprek. Het klikt prima tussen die twee. Annelies vraagt naar haar studie, en het blijkt dat ze van alles weet van de studie SPH. Ze praat over psychologie en maatschappelijke problemen alsof ze er elke dag mee te maken heeft. Het is geen eenzijdig gesprek, want Bianca informeert algauw naar het leven van Annelies, en dan vertelt Annelies van alles. Gert vindt het prima niets te zeggen. Hij kijkt eens naar zijn vader en naar Peter en Wim die met elkaar zitten te praten. Hij ziet dat zijn moeder geniet van dit moment dat ze met z'n allen bij elkaar zijn.

Vader, Wim en Peter hebben het over politiek, over abortus nog wel, een onderwerp dat toch helemaal niet eigentijds is. Dertig jaar geleden was het actueel. Toen liepen Dolle Mina's met blote buiken over de straat, met borden met daarop de tekst: 'Baas in eigen buik'. Tegenwoordig gaat het over heel andere dingen, maar zoals met alles, lopen ze hier ook met zulk soort dingen achteraan. Daar hoort hij warempel de naam Gert vallen in het gesprek tussen Annelies en Bianca. Bianca heeft het erover dat ze samen in Amsterdam geweest zijn. Als ze nu maar niets zegt over de stem die hij gehoord heeft. Dat doet ze ook niet. Bianca is verstandig en heeft het gewoon over de dingen die ze in het Vondelpark, op het Leidseplein en op de Dam gezien heeft. Later hebben ze het over het Rijksmuseum. Hij wist helemaal niet dat Annelies daar wel eens geweest was. Het blijkt dat ze er zelfs meer dan eens geweest is: een keer met haar klas, toen ze op de havo zat, en een keer met Peter. Annelies vertelt met kennelijk plezier over de schilderijen die ze gezien heeft, niet alleen over *Het joodse bruidje* en de *Nachtwacht* van Rembrandt, maar ook over *Het straatje* en de *Brief lezende vrouw* van Vermeer. Hij wist niet eens dat Vermeer bestond, en zij praat met verstand over zijn schilderijen en zegt die zelfs mooier te vinden dan die van Rembrandt. Ze waardeert vooral de fijngevoelige licht- en kleurschakeringen en, zoals ze dat zegt, de intimiteit van Vermeer. Opnieuw valt hem op hoeveel breder de blik van Annelies is dan die van zijn vader en moeder.

'Wat ben jij stil', probeert Peter hem bij het gesprek te betrekken.

'Ik luister naar wat de anderen te zeggen hebben.'

'En heb je veel opgestoken?'

'Van jullie niet zo veel, want de standpunten over abortus ken ik al.'

'Abortus is altijd actueel, al gaat het er alleen maar om of de abortusartsen zich aan de wet houden. Abortus is natuurlijk niet goed, maar als je zwangere vrouwen en meisjes goed informeert en hun wijst op het bestaan van de Vereniging ter Bescherming van het Ongeboren Kind, die hen wil bijstaan en eventueel een adres voor hen wil zoeken waar ze kunnen bevallen, is het een ander verhaal dan dat artsen zonder meer gaan aborteren. De wet schrijft voor dat vrouwen bedenktijd moeten hebben. Het lijkt erop dat in Nederland alles is toegestaan, maar dat is helemaal niet zo. Jou interesseert die discussie niet zo, begrijp ik.'

'Nee, waarom zou het? Ik heb er niets mee te maken.'

'Hoe is het met je studie?'

'Goed.'

'Ik had ook niet anders verwacht. Je kon altijd goed leren. Hoe bevalt het je op je kamer?'

'Prima.'

'Dat geloof ik graag. Je kunt doen en laten wat je zelf wilt. Tenminste, dat denk je. Maar het verhaal is hetzelfde als met die abortusartsen. Denk daar maar eens over na.'

Nou, nou, Peter is niet echt vriendelijk tegen hem. Gert voelt de steek wel. Peter vindt dat hij er maar op los leeft. Gelukkig dat hij verder niets losgelaten heeft.

'Mag ik even naar de koeien gaan kijken?', vraagt Bianca op een gegeven ogenblik.

'Natuurlijk', zegt Annelies. 'Ik zal even vragen of de anderen zin hebben om mee te gaan.' Ze staat op en vraagt luid: 'Wie heeft er zin om even mee te gaan naar buiten?'

Gert staat als eerste op. Hij is blij dat hij naar buiten kan. Hij loopt voorop. Bianca en Annelies blijven in druk gesprek verwikkeld met elkaar. Ook de andere drie praten met elkaar verder. Zijn moeder loopt alleen, achteraan, maar Gert heeft beslist geen zin om haar gezelschap te gaan houden. Hij vindt het een beetje vervelend dat Bianca en Annelies hem er niet bij vragen.

Ze wandelen eerst naar de deel, waar de trekker met de voerverdeler staat. Bianca loopt naar de trekker en is blijkbaar verbaasd hoe groot die is.

'Je doet net alsof je nog nooit een trekker van dichtbij gezien hebt', zegt Van den Berg.

'Dat heb ik ook niet', zegt Bianca. 'Natuurlijk wel op plaatjes en op de weg, maar niet stilstaand. Ik had niet in de gaten dat gewone boeren zulke grote trekkers hebben. Rijdt u daar elke dag mee?'

'Wel vaker op een dag.'

'U hebt interessant werk.'

'Dat vind ik zelf ook, maar zo denkt jammer genoeg niet iedereen er tegenwoordig over.'

'Ik dacht dat u maar een kleine boerderij had, maar dat is helemaal niet zo.'

'Wat is klein?', zegt Gerts vader. 'De bedrijven worden tegenwoordig steeds groter, en je moet volgens sommigen honderd koeien melken om een renderend bedrijf te hebben. Daar kom ik lang niet aan. Voor tegenwoordige begrippen heb ik een klein bedrijf, maar ik heb er ook varkens bij en ik ben best tevreden. Hoe groter je bedrijf is, des te harder moet je zwoegen.'

'Ik kom uit de stad. Dus ik weet niets van boerderijen. Neemt u me niet kwalijk.'

'Ik neem je helemaal niets kwalijk.'

'Waar zijn de koeien?', vraagt Bianca, 'Die horen hier toch in?'

'De koeien zijn nu nog buiten', vertelt vader. 'Straks haal ik ze binnen voor het melken en krijgen ze te vreten, en vannacht blijven ze binnen, zodat we morgenvroeg meteen kunnen gaan melken.'

'Mag ik straks bij het melken komen kijken?'

'Natuurlijk.'

'Ik heb pas een televisieprogramma over koeien gezien', zegt Bianca. 'Dat ging erover dat er steeds minder koeien in de Nederlandse weiden lopen. Ze zeggen dat het goedkoper is de koeien ook in de zomer binnen te houden, maar zo bent u niet, begrijp ik.'

'Nee, zo ben ik niet. Ik houd van mijn koeien, en ik denk dat ze het niet prettig zouden vinden de hele zomer niet buiten te komen. Ik wil de deskundigen graag geloven die zeggen dat het economisch voordeliger is de koeien binnen te houden, maar je bent niet alleen boer voor de economie. Je bent boer met je hart. Ik houd van mijn dieren en ik denk dat ze het fijn vinden buiten in de wei te grazen. Mijn hele voorgeslacht is boer geweest met hart en ziel, en generaties voor mij hebben op deze boerderij gewoond.'

'Dan zult u het niet fijn vinden dat Gert geen boer wordt.'

Gert ziet dat het gezicht van zijn vader betrekt.

'Dat kun je begrijpen. Zullen we nog even naar de koeien gaan kijken?'

Het gezelschap loopt naar het hek van het land waar de koeien grazen. Ze lopen niet voorin, wat Bianca jammer vindt.

'Herkent u van deze afstand uw koeien?', vraagt ze.

'Daar heb ik geen moeite mee', zegt hij. 'Ik ken al mijn koeien, ook van een afstandje, en ik heb het snel in de gaten wanneer er met een koe iets mis is. Zo'n koe loopt anders, ademt anders of kijkt anders. Het is heel belangrijk dat in de gaten te hebben, zodat je er snel bij bent wanneer ze een ziekte krijgen. Straks ga ik de koeien melken. Dan zie je ze wel dichterbij. Zullen we nu nog even naar de varkens gaan kijken?'

'Laten we dat maar niet doen,' zegt Annelies, 'want varkens stinken zo, en het is niet de bedoeling dat we vanavond met stinkkleren in de kamer zitten wanneer de ooms en tantes komen. Zeg,' wendt ze zich ineens tot haar moeder, 'komen De Rooij en zijn vrouw ook?'

'Ik heb hen wel gevraagd, maar ze doen het niet, omdat ze het te druk vinden. Ze komen volgende week een keer met z'n tweeën.'

Ze blijven even op het erf staan praten.

'Hebben jullie zin in een wandeling?', vraagt Annelies.

Bianca is de eerste die 'ja' zegt. Ze komt naar Gert toe en zegt: 'Gert, wil jij me dan de namen van de bomen en vogels noemen die we zien. Ik ken er wel een paar, maar ik denk dat ik ze niet allemaal kan thuisbrengen.'

'Daarvoor moet je bij Annelies zijn', zegt Gert. 'Die interesseert zich voor de natuur.'

Hij ziet dat zij antwoord wil geven, maar haar woorden inslikt. Wat wilde ze zeggen?

Gert ziet dat Annelies en Bianca voorop gaan lopen, en – warempel – moeder, die ook een echte natuurliefhebber is, voegt zich bij hen en loopt zomaar naast Bianca.

Tijdens de wandeling komt Wim naast Gert lopen en begint te praten. 'Ik heb je een poos niet meer gesproken.'

Gert kijkt hem aan en wacht af wat hij verder gaat zeggen.

'In het begin belden we nog wel eens met elkaar, maar dat is steeds minder geworden. Het ging eigenlijk vanzelf. Ik heb het niet bewust gedaan.'

'Ik ook niet', zegt Gert. 'Zoiets gebeurt gewoon. Je hebt het druk, en ieder heeft zijn eigen ding.'

'Fijn dat je er nu weer bent', zegt Wim vertrouwelijk. 'Ik vind het niks leuk dat jij het huis uit bent. Het is zo stil geworden, en het is soms net alsof je er niet meer bij hoort. Pa en ma hebben het bijna nooit over je. Hoe gaat het met de studie? Is het moeilijk?'

'Het meeste niet. Er zijn een paar rotvakken bij, zoals statistiek, daar snap ik de ..., eh ... niets van. Ik heb de toets belabberd gemaakt, maar de meeste studiepunten haal ik wel.'

'Wat doe je in het weekend?'

'O, meestal ga ik ergens met een groep wat drinken.'

'Dus net zoals je hier deed', stelt Wim vast.

'Hm, ja', zegt Gert, die liever niet te diep op dit onderwerp ingaat. Hij kan toch niet gaan vertellen over zijn

avonturen met meisjes en over wat hij in Amsterdam meegemaakt heeft?
Het lijkt erop dat de fijngevoelige Wim het precies aanvoelt, want hij praat alweer verder. 'Harm speelt in een band tijdens de diensten, en dat zou ik ook best willen.' Gert is totaal verrast. 'Ben jij dan muzikaal?'
'Dat weet ik juist niet, maar ik weet wel dat ik het graag zou doen. Ik ben bezig met gitaarlessen, en Harm zal me helpen bij de band te komen. Het lijkt me echt gaaf. Ik vind het zo fijn tijdens de diensten.'
'Jij bent zeker blij dat je hier uit de kerk weg bent?' Wim haalt zijn schouders een keer op. 'Dat weet ik ook niet', zegt hij. 'Ik bedoel, ik ben er wel blij om, maar ik vind het toch vervelend voor pa en ma dat nog maar één van hun kinderen bij hen naar de kerk gaat. Niet dat ik om die reden wil blijven gaan, hoor, want ik voel me daar goed thuis. Zeg, we hebben het vroeger wel eens over de doop gehad. Heb jij daar een mening over?'
'Hoe bedoel je?'
'Ik ben van plan me te laten overdopen, maar ik weet nog niet zeker of ik dat wel zal doen. Vader en moeder zeggen dat het spotten met God is, als ik me nog een keer laat dopen, omdat ik gedoopt ben toen ik een baby was. Ze zeggen dat de kinderdoop voor het hele leven betekenis heeft, ook al ga je naar een andere kerk, maar ik zie het toch anders. Zodra je tot geloof gekomen bent, ben je verplicht daar openlijk voor uit te komen, en dat doe je door je te laten dopen. Zo staat het ook in de Bijbel. "Wie geloofd zal hebben en gedoopt zal zijn, zal zalig worden", staat er. Harm dringt er sterk op aan dat ik me laat dopen.'
'Joh, doe niet zo moeilijk over Bijbelteksten, want daar kom je toch nooit uit. De een vindt dit, en de ander vindt weer iets anders. Je moet gewoon doen wat je denkt dat

goed is en je niet te veel aantrekken van wat een ander vindt.'

De stem van Wim daalt, zodat de anderen hem niet zullen horen wanneer hij vraagt: 'Ga jij nog naar de kerk?'

Gert schudt zijn hoofd.

'En Bianca?'

Gert schudt zijn hoofd opnieuw. 'Die is nog nooit naar een kerk geweest', zegt hij.

'Heb je al lang verkering met haar?'

'Ik dacht wel dat je dat zou denken, maar ik heb helemaal geen verkering. Bianca is gewoon een vriendin met wie ik wel eens praat, en ze wilde graag mee toen ze hoorde dat ik naar de verjaardag van mijn moeder ging. Een boerderij leek haar zo enig. Je weet net hoe dat gaat.'

'Ze is knap, hè?'

'O, dus jij hebt je ogen niet in je broekzak? Heb jij nog geen verkering?'

'Nee, ik niet. Ik heb goede contacten in de gemeente en ik kan goed overweg met verschillende meisjes, maar ik ben nog niet verliefd geworden.'

'Op allemaal zal niet meevallen', grinnikt Gert.

'Je weet anders niet wat er tegenwoordig gebeurt, als je die verhalen over groepsseks hoort', zegt Wim. 'Wat dat betreft, begrijp ik de angst van vader en moeder wel. Deze evangelische gemeente is heel open naar de samenleving, en we hebben vaak sprekers die ons inlichten over ontwikkelingen die gaande zijn, zoals de verseksualisering van de maatschappij en de opkomst van het occultisme. Nederland is bezig een heidens land te worden, en je moet daartegen gewapend worden.'

'Joh, maak je niet te druk. Je kunt er toch niets aan veranderen.'

Het gezelschap blijft staan bij het weggetje naar de oude schapenstal.

'Dat is echt nostalgisch. Ik heb nog nooit een oude schaapskooi in het echt gezien. Zitten er schapen in?'

'Allang niet meer', zegt Gerts vader. 'Ik weet nog dat de schaapherder, toen ik jong was, er elke dag op uittrok met zijn kudde. Toen was daar nog een groot stuk hei, maar dat is in de loop van de jaren helemaal dichtgegroeid. Die kudde van witgewolde schapenlijven heeft op mij veel indruk gemaakt, vooral wanneer ze dicht bij elkaar liepen en de hond van de schaapherder ze bijeenhield. We hebben daarom een schilderij van een schaapskudde in de kamer hangen.'

'Tegenwoordig bestaan er op de Veluwe toch weer schaapskudden?'

'Jazeker, in ieder geval op de hei bij Ede, en ook in de buurt van Apeldoorn bij Hoog Buurlo. Ik denk dat er nog wel meer zijn. Zullen we doorlopen, want ik moet gaan melken. Anders ben ik niet op tijd klaar voor de gasten vanavond.'

Het hele gezelschap loopt terug. Gert kan merken dat zijn vader haast begint te krijgen, want hij loopt iets voor de anderen uit.

Wim, die nog steeds naast Gert is blijven lopen, begint over vroeger te praten, toen ze veel samen waren en 's zaterdagsavonds op de scooter naar de stad gingen. Ze praten het langst over het schuurfeest bij Van Gelder, waar ze eerst samen naartoe gegaan zijn. De keer daarop keerde de hele buurt zich tegen die stadslui en hebben ze hen met z'n allen weggejaagd. Ze halen herinneringen op aan het gevecht dat toen ontstond en waarin ze zich allemaal dapper geweerd hebben.

De wandeling heeft Gert duidelijk goed gedaan, en hij

heeft er geen moeite mee zich daarna met de anderen te
onderhouden, maar hij gaat niet uit zichzelf naar zijn vader
en moeder toe, en hij helpt zijn vader niet ongevraagd met
melken, ook al zit die krap in zijn tijd.

Tijdens de terugreis op zaterdagavond, om kwart voor elf
(alles moest natuurlijk snel opgeruimd zijn om ruim op tijd
voor de zondag klaar te zijn), begint Bianca over Annelies.
    'Wat heb jij een aardige zus, zeg. Die is in ieder geval
niet wereldvreemd. Je kunt met haar over van alles praten,
en ze staat voor iedereen klaar. Maar je ouders vielen ook
best mee. Je moeder is sterk geïnteresseerd in de natuur en
ze kent de namen van een heleboel planten en vogels. Je
vader heeft best een brede algemene belangstelling, al
komt hij wel altijd bij zijn voorgeslacht uit.'
    'Heb je het gemerkt?'
    'Daar hoef je niet zo slim voor te zijn, maar ik kan het
best begrijpen. Generaties Van den Bergen hebben hier
geboerd, en nu verandert alles ineens. Je hebt als boer
moeite om het hoofd boven water te houden, terwijl het
zo'n mooie boerderij is. Ik kan me best voorstellen dat dat
hem aan het hart gaat.'
    'Maar daarom hoeft hij toch nog niet zo ouderwets te
doen.'
    'Hij is helemaal niet ouderwets. Dat viel me juist zo op.
Als je ziet wat een grote trekker hij op de ..., sorry in de
schuur had staan en je zag die voerverdeler erachter, dan
zie je wel dat hij niet ouderwets is.'
    'Maar hij heeft toch een aantal ontwikkelingen van de
laatste tijd aan zich voorbij laten gaan, en ik vermoed dat je
wel anders zou praten als je hem elke dag meemaakt, en
vooral als je iets zou doen wat meneer niet aanstaat.'
    'Gert, begin je weer?'

'Laten we het dan over iets anders hebben.'

'O, ja, ik heb nog iets. Annelies heeft gevraagd of we een keer op bezoek komen. Dat lijkt me erg leuk.'

'Wat heb je geantwoord?'

'Ik heb natuurlijk 'ja' gezegd.'

'En je denkt dat je mij mee krijgt?'

'Natuurlijk krijg ik jou mee. Ik heb al een afspraak gemaakt.'

'Bianca, je bent onverbeterlijk eigenwijs. Voor wanneer heb je de afspraak met Annelies gemaakt?'

'Voor zaterdag over twee weken. Ik vond volgende week te snel, maar voor over twee weken is een prima tijd. Ik denk dat ik ook een rok ga aantrekken.'

Gert, die het in zijn hart helemaal niet erg vindt dat Bianca een afspraak met Annelies heeft gemaakt, schrikt nu wel, geeft een ruk aan het stuur en zegt: 'Als je dat meent, zet ik je subiet uit de auto.'

'Joh, jij bent soms zo overserieus, net als je moeder. Natuurlijk meende ik er niets van. Ik wilde je gewoon een beetje stangen, en dat is gelukt ook. Wind je niet zo op. Ik wilde alleen maar zeggen dat ik het heel erg interessant vond vanmiddag en vanavond. Vooral vanmiddag in de stal en tijdens de wandeling heb ik erg genoten. Vanavond was het heel anders, met al die tantes en ooms in die donkere pakken, en je oma met haar zwarte japonnetje en haar knotje. Het is een lief mensje, hoor, maar wat bekeek ze me afkeurend omdat ik in een spijkerbroek rondliep. Ze vroeg wie ik was, waar ik woonde, wat ik studeerde en waar ik naar de kerk ging. Toen ik zei dat ik niet naar de kerk ging, schrok ze zo dat ze daarna helemaal niets meer tegen me zei. Toen ben ik maar tegen haar gaan praten, en ik heb haar gevraagd of ik minder was omdat ik niet naar de kerk ging. Ze zei dat iedereen naar de kerk moest gaan, omdat

dat zo hoort. Ze had het er ook over dat het moet van God, dat God boos is als je niet gaat en meer van zulk soort dingen. Eerst keek ze me heel boos aan, maar ten slotte zei ze dat ze voor me zou bidden. Wat wil je nog meer?'

Gert snuift een keer met zijn neus. 'Zo is oma', zegt Gert. 'Mijn moeder lijkt veel op haar.'

'Ik geloof dat jij vanavond niet veel contact gehad hebt met je ouders.'

'Nee', valt Gert uit. 'En dat valt me weer van hen tegen. Wim kwam naast me lopen en praatte gewoon op de oude vertrouwelijke toon tegen me. Annelies was wel hartelijk, maar ze was meestal met jou en anderen aan de praat. Peter heb ik niet veel gesproken, en hij deed ook niet echt aardig, maar dat was niets vergeleken bij mijn vader en moeder, die overduidelijk geen contact wensten met hun verloren zoon. Ze hebben net zo lief dat ik helemaal niet kom. Toen ik alleen liep, liep mijn moeder ook alleen, maar je moet niet denken dat ze naast me kwam lopen, en mijn vader al helemaal niet. Je kunt hen wel aardig vinden, maar je hebt zelf ook de andere kant gezien', voegt Gert er op bittere toon aan toe.

'Ik weet niet of het alleen aan hen lag, want jij zocht toch ook geen contact met je ouders, of wel?', vraagt Bianca zacht.

Gert valt stil. Even later vraagt hij: 'Waarom zou ik contact moeten zoeken? Ik heb al een hele stap gedaan door hierheen te komen. Ze hadden in de gaten moeten hebben dat me dat veel moeite kostte.'

'Ik denk dat zij het anders bekijken. Zij vinden dat jij naar hen toe moet komen, omdat jij hun kind bent. Ik durf er een kratje pils om te verwedden dat ze vanavond tegen elkaar zeggen dat Gert erg tegenviel, omdat hij geen contact gemaakt heeft.'

'Vind je dat ze gelijk hebben?'

'Ik vind van wel. Het spreekwoord luidt: "Als de berg niet naar Mohammed komt, zal Mohammed wel naar de berg gaan." Ik vind het werkelijk een gemiste kans.'

'Wat kunnen die ouwelui mij schelen.'

'Jochie, mij maak je niets wijs, met je gekwetste gevoelens die je altijd weet te verstoppen. Natuurlijk kan het je heel veel schelen, zoals het je ook heel veel kon schelen toen ik niet aan je verlangens voldeed. We kunnen jou wel IJzeren Gert noemen, omdat jij je altijd geweldig pantsert tegen tegenslagen. Daardoor lijk je overal tegen te kunnen, maar het is alleen maar een harnas dat je beschermt. Vergeet niet dat je harnas ook een kerker is, waarin je gevoel verkommert. Dat zie ik gebeuren bij onze Gert.'

'Ik ben niet onze Gert. Ik vind jou ook niet onze Bianca. Ik vind jou een hoogmoedig meisje dat meent alles beter te weten.'

'Hèhè, eindelijk erkent Gert iemand boven zich.'

'Ik erken je niet boven me. Ik vind je hoogmoedig.'

'Joh, wat ben je toch prikkelbaar. Heb je dan nog niet in de gaten dat ik maar wat grappen maak?'

'Ik hoorde aan je toon dat je het meende.'

'Jochie, ik zou gaan ruziemaken als ik jou was. Volgens mij ben je toe aan een kop sterke koffie. Voel je er iets voor de eerste de beste afrit naar een benzinestation te nemen en een kop koffie te halen?'

'Dan zijn we niet voor de zondag thuis', lacht Gert, die in een beter humeur begint te komen.

'Zo mag ik het horen.'

Vijf minuten later rijdt de blauwe Golf GTI naar een rustig plekje op een parkeerplaats naast de snelweg. Gert en Bianca stappen uit en lopen naar het tankstation om koffie te kopen. Het is rustig in de winkel, waar Gert meteen naar het koffiezetapparaat loopt en twee euro's tevoorschijn haalt voor twee bekers koffie. Wanneer hij koffie heeft, gaat hij ermee naar Bianca en daarna zoekt hij een plekje om de koffie bij een statafel op te drinken. Onwillekeurig dwaalt zijn blik af naar het rek met bladen, en als vanzelf valt zijn oog op de blote borsten van een knappe blondine op het omslag van een blad. Hij krijgt er een opgewonden gevoel van.

'Zullen we gaan?', vraagt Bianca.

'Even mijn koffie opdrinken', zegt Gert, die zijn ogen slechts met moeite van het blad kan losmaken. Wanneer hij merkt dat Bianca naar buiten gaat, loopt hij achter haar aan.

Buiten zegt Bianca: 'Ik volgde je blik wel.'

'Hoe bedoel je?'

'Ik zag wel dat je naar dat blad keek. Dat moet je niet doen, joh. Er is meer op de wereld dan seks. Ik heb in mijn leven gezien hoe seks levens kan verwoesten. Als je vaak naar zulke bladen kijkt, word je er vanbinnen niet beter op.'

'Ik vind het belachelijk wat je zegt, want dat doet toch iedereen.'

'Hoe weet jij dat? Ze zeggen dat ook iedere jongen van boven de achttien het doet met een meisje, maar er zijn nog steeds heel wat jongeren die het niet doen, en ik geef ze groot gelijk.'

'Bianca, jij bent honderd jaar te laat geboren. Jij had een zusje van Annelies moeten zijn.'

'Daar heeft het niets mee te maken. Ik vind seks zonder diepere gevoelens leeg. Als ik zie hoeveel jongeren tegenwoordig seks het belangrijkste vinden, dan beklaag ik hen. Laten we er maar over ophouden, want ik wil helemaal niet discussiëren. Ik ben al dat gediscussieer soms zo zat, en ik doe het toch weer.'

Gert opent de auto voor haar, en ze gaat op de voorbank zitten, waarna Gert de deur dichtdoet en naar de andere kant loopt. Ze houdt de deur al uitnodigend voor hem open. Ze drinken de rest van hun koffie, terwijl Gert naar het lichtpuntje van de parkeerplaatsverlichting kijkt. Wanneer hij de koffie op heeft, houdt hij zijn hand op. Bianca geeft hem haar beker. Daarna loopt hij naar de prullenbak om de beker weg te brengen.

Voordat hij terug is bij de auto, ziet hij dat het portier opengaat en dat Bianca uit de auto stapt. Hij vraagt zich af wat ze van plan is.

'Zullen we even een stukje lopen?', vraagt ze. 'Het is zo'n mooie dag geweest. Ik wil nog even nagenieten.'

'Mij best', zegt Gert.

Samen lopen ze even later over de parkeerplaats. Aan de linkerkant razen de auto's voorbij. Bij het tankstation is het licht, maar hier is de sfeer anders. Er staan wat bankjes, en er brandt een sobere verlichting. Langzaam lopen ze over het gras naar het eind van de parkeerplaats. Daar draaien ze zich naar elkaar en blijven zo staan.

'Ik vond het een fijne dag', zegt Bianca. 'Dank je wel, Gert.'

'Daar hoef je mij niet voor te bedanken.'

'Dank je wel, Gert, dat ik met je mee mocht naar je familie. Ik vond het fijn. Ik heb zo genoten van de goede sfeer en de rust van het platteland. Het is net alsof ik met vakantie ben geweest. En ik wil nog iets zeggen.'

Gert hoort aan de lage klank van haar stem dat er iets bijzonders aan de hand is.

Ze doet een stap naar hem toe en kijkt hem recht in de ogen. 'Gert, ik moet je nog iets bekennen.'

'Zeg het maar.'

'Gert, ik ben verliefd op jou.'

'Wat?'

'Laat me eerst eens uitpraten en zeggen wat ik op mijn hart heb. Ik was op jou verliefd vanaf het eerste ogenblik dat ik je meemaakte, 's avonds op de soos, toen ik met Tineke ben meegegaan. Daarom ben ik ook met je meegegaan naar de bios en de zaterdag daarna. Je bent me tegengevallen toen ik merkte dat je me meegenomen had naar je kamer om seks te hebben. Toen je me niet meer nodig had, had ik het idee dat ik op de verkeerde verliefd geworden was. Ik probeerde je uit mijn gedachten te zetten. Dat lukte in het begin helemaal niet, want ik had iedere keer de neiging naar een plek te gaan waar jij zou kunnen zijn: de soos of die gelegenheid waar we 's avonds geweest waren, maar ik deed het niet. Ik wilde je niet de kans geven om mijn gevoelens te bespelen en voor elkaar te krijgen wat jij wilde. Sorry dat ik het zeg. Ik zag je op een keer op een zaterdagavond met een meisje naar huis gaan en ik voelde een steek door mijn hart gaan. Misschien begrijp je dat ik blij was dat mijn stage begon en dat ik je dan niet meer zou zien. Mijn gevoel had me niet bedrogen, want toen ik in Amsterdam was, werd ik door mijn werk en door van alles wat ik meemaakte, zo in beslag genomen dat ik jou vergat, tot het moment dat jij weer opdook. Ik was stomverbaasd je te zien, en nog meer dat jij daar versuft zat. Pas later begreep ik wat er precies gebeurd was. Dat verhaal van die stem begrijp ik nog steeds niet, maar daar gaat het nu even niet om. Ik merkte dat de vlinders in mijn buik terugkwamen en ik zocht naar een manier om jou niet uit het oog te verliezen. Het was een gok van mij jou voor de nacht onderdak te verlenen, want het was heel goed mogelijk geweest dat je toch uit zou zijn op seks. Jongen, ik heb al zo veel meegemaakt met jongens. Je hoeft mij niets te vertellen. Ze kwamen al op me af toen ik een jaar of veertien was. Iedereen denkt dat ik een meisje ben dat graag iets wil, maar dat is helemaal niet zo. In de loop van die avond of de volgende morgen, dat weet ik niet precies, merkte ik dat jij veranderd was, en toen je zus belde of we kwamen, wist ik dat ik van dat moment gebruik moest maken. Natuurlijk vind ik de Veluwe mooi, en het geeft mij ook echt een vakantiegevoel, maar het belangrijkste was toch wel bij je te zijn en kennis te maken met je familie. Ik kon het bijzonder goed vinden met Annelies en ik vond het geweldig dat ze mij uitnodigde. Ik heb 'ja' gezegd, maar met die restrictie dat jij het ermee eens zou zijn, zoals je wel zult begrijpen.'

Dan kijkt ze Gert recht in de ogen. Niet hij, maar zij is degene die het initiatief neemt, haar armen om hem heen slaat en hem een zoen geeft.

Gert krijgt ineens allerlei gevoelens die hij niet kan plaatsen, maar dan denkt hij niet meer. Hij slaat zijn armen om haar middel en drukt haar stijf tegen zich aan.

'Au, Gert', klinkt haar stem.

'Nu weet je hoe ik erover denk', zegt Gert.

'Kom eens bij mijn mond met je oor.'

Wanneer hij naar haar luistert, zegt ze fluisterend: 'Gert, ik houd van je.'

Dan verliezen ze alle gevoel voor tijd, denken er niet aan dat hun auto niet op slot is en dat het al middernacht is. Voor dat ogenblik bestaat de wereld niet meer voor hen. Ze zijn slechts met z'n tweeën op de wereld.

Het is een mooie avond wanneer Gert en Bianca door de buurtschap rijden op weg naar het huis van Peter en Annelies. Het is voor Gert, die zo lang afstand genomen heeft van zijn familie, een vreemde gewaarwording twee weken na de verjaardag van zijn moeder weer in de buurtschap te zijn. Hij heeft twee bijzondere weken meegemaakt, waarin hij maar langzaam weer met zijn voeten op de grond is gekomen. De mededeling van Bianca dat ze verliefd op hem was, kwam voor hem als een volslagen verrassing. Ze had steeds gezegd dat ze niet meer wilde dan vriendschap, en daaraan had ze zich volgens Gert ook gehouden. Het was niet de eerste keer dat ze hem verraste, want Bianca heeft hem telkens op het verkeerde been gezet. Zij is de eerste die invloed heeft op zijn gevoelsleven, Annelies misschien uitgezonderd. Zij is een van de weinigen wie het lukt hem op een plezierige manier tegen te spreken en hem van gedachten te doen veranderen.

Gert mindert vaart. Ze zijn er bijna. Daar moeten zijn zus en zwager wonen. Ze wonen in een bakhuis naast een boerderij. Wanneer ze door het knerpende grind de oprit op rijden, gaat de deur van het bakhuis al open, en verschijnt Annelies in de deuropening. Achter haar komt Peter naar buiten.

'Het portier hoeft niet op slot', zegt Gert tegen Bianca terwijl hij het autosleuteltje uit het contact haalt. Bianca is als eerste uit de auto, loopt naar de twee die haar tegemoetkomen, en geeft Annelies en Peter een hand.

'Hebben jullie de koffie al klaar?', vraagt Gert om zich een houding te geven. Vreemd, vroeger ging alles vanzelf en tegenwoordig voelt hij zich wel eens zo ongemakkelijk dat hij niet weet wat hij moet zeggen.

Dat duurt niet zo lang, want Annelies en Peter zijn heel belangstellend en gastvrij. Ze drinken uitgebreid koffie, waarna ze het huisje van onder tot boven bekijken. Groot is het niet: een kleine kamer, waar maar net een bank en een paar stoelen in passen, een piepklein keukentje, waar ze slechts met z'n tweeën kunnen zitten, een douche, een wc en dan boven een slaapkamer en een rommelkamertje. Bianca heeft grote belangstelling voor alles. Het interesseert Gert wat minder, en niet alleen omdat hij het al een keer gezien heeft, maar ook omdat hij geen zin heeft al die verhalen over de inrichting van het huis aan te horen.

'Dat wordt zeker de slaapkamer voor de baby?', vraagt Bianca.

'Dat heb je goed', antwoordt Annelies, en ze begint uitgebreid te vertellen over het kind dat ze samen verwachten. Ze vertelt dat ze blij verrast waren toen ze zwanger bleek te zijn, dat het allemaal goed gaat en dat ze al verschillende keren samen bij de dokter geweest zijn. Bianca luistert geduldig en geïnteresseerd naar de verhalen.

Gert probeert er aandacht voor op te brengen, maar het interesseert hem niet echt. Peter, die dat merkt, vertelt Gert dat hij van plan is het babykamertje op te knappen. Er moet nog getimmerd, behangen en geverfd worden.

'Dus de komende tijd weet je wel wat je doen moet?'

'Dat weet ik altijd. Is er niets te doen in of om het huis, dan ben ik wel druk voor mijn werk. Of Annelies bedenkt wel iets. Maar ik vind het niet erg. En we nemen ook expres de tijd om samen te zijn en samen te praten. Toen we verkering hadden, heb ik een tijd gehad dat ik het zo druk had dat ik aan niets anders meer toekwam, en dat wil ik niet meer. Je huwelijk en je gezin gaan vóór je werk. De mensen hebben het tegenwoordig allemaal druk, en intussen verwaarlozen ze hun gezin. Dat kan nooit goed gaan. Ik zie dat de vrouwen boven nog wel even tijd nodig hebben. Zullen wij alvast naar beneden gaan?'

'Mij best', zegt Gert, en hij loopt achter Peter aan de smalle trap af. Intussen bedenkt hij hoe het leven van Annelies en Peter in korte tijd is veranderd. Annelies werkte eerst fulltime bij een boekwinkel; nu werkt ze daar nog een paar dagen in de week. Ze woont dan wel in een klein huisje bij een boerderij, maar ze heeft niets met die boerderij te maken, en dan is ze ook nog eens in verwachting. Zo te zien zijn ze gelukkig samen.

'Zal ik een pilsje voor je halen?', vraagt Peter.

'Prima', zegt Gert. 'De vrouwen komen toch nog niet naar beneden. Laten we maar vast beginnen.'

'Houd er wel rekening mee dat je niet zo veel krijgt als je misschien gewend bent.'

'Ik moet vanavond rijden. Dus ik houd het op één biertje', zegt Gert.

Hij drinkt rustig van zijn pils en praat wat met Peter totdat Annelies en Bianca naar beneden komen.

'Nou, nou,' zegt Peter, 'dat duurde wel erg lang.'

'We hebben jullie de gelegenheid gegeven om even met z'n tweeën te zijn', zegt Annelies. 'Zo te horen hebben jullie geen belangrijke dingen besproken. Maar wij wel', voegt ze eraan toe.

'Wat dan?', vraagt Gert.

'Je hoeft niet alles te weten', lacht Annelies. 'Ik zie dat jullie al drinken hebben. Wil jij iets drinken, Bianca?'

'Doe mij ook maar een pilsje, of mag dat niet?'

Annelies begint te lachen. 'Wat jij drinkt, moet je zelf weten. Ik vind niet dat er iets mis mee is, maar er zijn in de buurt inderdaad mensen die dat vreemd zouden vinden.'

'Pa en ma bijvoorbeeld', zegt Gert.

'Zij niet alleen. Er zijn er wel meer. Maar daar moet je je niets van aantrekken. Als je bij anderen bent, pas je je aan, maar hier mag je jezelf zijn.'

Wanneer Annelies voor Bianca en zichzelf drinken gehaald heeft, begint ze over de verjaardag. 'Ik heb niet het idee dat het voor jou een geslaagde verjaardag was, Gert.'

'Nee, wat wil je? Pa en ma zeiden geen boe of bah tegen me. Ik heb mijn best gedaan, en als je dan kijkt wat ik ervoor terugkrijg ...', zegt Gert gemaakt onverschillig, terwijl hij zijn schouders ophaalt. Het levert hem een blik van Bianca op, maar hij is niet van plan naar haar te luisteren.

Hij gaat door: 'Annelies, jij hebt me toen gebeld met de vraag om te komen. Het was dat Bianca erbij was, anders was ik helemaal niet gegaan. En dan kom ik, en dan gaat het zo. Het is me echt tegengevallen.'

'Gert, je moet je in hun standpunt verplaatsen. Je hebt hun veel verdriet gedaan door niet naar hen te luisteren. Je ging 's avonds naar het café en je kwam in de nacht van zaterdag op zondag te laat thuis. Enfin, het hele verhaal hoef ik jou niet te vertellen. Vader en moeder zagen het als hun taak jou in de vreze des Heeren op te voeden, en het valt voor hen niet mee als het dan zo gaat. Je had de laatste tijd toen je nog thuis was, toch ook bijna nooit contact met hen? Tijdens het eten zei je bijna niets, en verder zat je altijd te computeren of je was weg. Kortom, je ging je eigen gang. Hoe kun je dan van hen verwachten dat ze zich ineens op die verjaardag met jou bemoeien en jou aardig vinden? Ik begrijp dat je samen met Bianca was, toen ik belde. Hebben jullie al lang verkering?'

Gert kijkt Bianca aan op hetzelfde moment dat zij hem aankijkt. 'Dat is nog niet zo lang', zegt hij. 'Toen jij belde hadden we nog geen verkering.'

'Wat waren jullie toen aan het doen? O sorry, Bianca, hier op het platteland is het heel gewoon dat je zulk soort vragen stelt. Misschien vind jij dat dergelijke vragen een inbreuk maken op je privacy.'

'Dat wil ik niet beweren, hoewel ik het wel heel apart vind. Het zou niet in mijn hoofd opkomen zoiets te vragen. Om antwoord te geven: op het moment dat jij belde, liepen we samen door het Vondelpark in Amsterdam.'

'Alsjeblieft, alsof het niks is. En jullie hadden geen verkering?'

Bianca kijkt naar Gert met de onuitgesproken vraag in haar ogen of ze het hele verhaal mag vertellen. Gert beduidt haar dat ze dat zelf moet weten.

'Alle mensen, wat een ogenspel. Ik mag het zeker niet weten?'

'Ik wist niet of Gert het goed zou vinden. Die dag was voor ons een heel bijzondere. We maakten die dag, nadat we elkaar lange tijd niet hadden gezien, op een bijzondere manier weer kennis met elkaar. Gert was naar Amsterdam gekomen om de stad te bekijken en toen werd hij ineens niet goed. Ik zag hem op een stoep zitten en heb hem toen geholpen.'

'Zo ken ik je niet, Gert', zegt Peter. 'Ik kan me niet herinneren dat er ooit een moment geweest is dat jij niet goed geworden bent. En als dat zou gebeuren, zou jij je volgens mij niet door een meisje laten helpen. Je moet er wel bijzonder slecht aan toe geweest zijn.'

'Dat was ik ook', zegt Gert, die niet meer kan zwijgen, en dat ook niet wil, omdat hij graag de mening van zijn zus wil horen. 'Ik was uitgeschakeld door een stem, en ik weet nog steeds niet wat het geweest is.'

'Wat was er dan aan de hand?', vraagt Annelies belangstellend.

'Opeens hoorde ik een stem iets tegen me zeggen. Ik weet nog precies wat het was: "Wie dorst heeft, kome tot Mij."'

'Joh, dat is een Bijbeltekst. Ik zal eens even kijken waar die staat.'

Ze bladert in haar Bijbeltje dat op de schoorsteenmantel ligt, maar kan de tekst niet meteen vinden.

'Het is me nogal een dik boek', zegt Bianca. 'Hoe zou je dan die ene zin kunnen vinden?'

'Ik weet dat het woorden van Jezus zijn. Dat maakt het makkelijker, want dan hoef ik alleen maar in de evangeliën te zoeken. Ik vermoed dat Jezus het gezegd heeft tijdens een rede op het Loofhuttenfeest, toen Hij het over stromen van water had.'

'Volgens mij staat die tekst in het Johannes-evangelie', zegt Peter.

Annelies bladert even en dan zegt ze: 'Ik heb de tekst gevonden. In Johannes 7 vers 37 staat: "Zo iemand dorst, die kome tot Mij en drinke."'

Gert is wit geworden. Hij hoort de tekst van toen resoneren in zijn hoofd.

'Wij vragen ons af wat dat toen geweest is', zegt Bianca.

'Dat weet ik natuurlijk ook niet precies, maar als ik dit zo hoor, zou ik zeggen dat het de stem van God geweest is.'

Bianca kijkt ongelovig en zegt: 'Zou God vanuit de hemel tegen iemand spreken, en zouden anderen dat dan niet gehoord hebben?'

'Paulus hoorde ook een stem. Hij viel toen van zijn paard, o nee, een kameel, en was ook helemaal van streek. Maar het hoeft natuurlijk niet een directe stem van God te zijn. Het kan ook gaan om een tekst die in je geest naar boven kwam. Wacht eens even, ik denk er ineens aan dat ik die tekst genoemd heb toen wij 's avonds nog even stonden te praten net voordat jij op kamers zou gaan.'

Annelies is even stil. Blijkbaar maakt ze het moment van toen weer mee, want ze is ineens helemaal in zichzelf gekeerd.

De anderen wachten totdat ze verdergaat.

'Toen zei ik die tekst, en ik vergeet nooit meer wat jij toen gezegd hebt. Je zei: "Pils is voor mij goed genoeg."'

Ze kijken allemaal naar Gert, die voelt dat hij rood wordt. 'Heb ik dat gezegd? Ik kan het me echt niet meer herinneren.'

'Ik vind het wel bijzonder hoe het met een tekst kan gaan. Iemand zegt een Bijbeltekst. Die komt bij een ander binnen, maar zo dat hij het zelf niet weet, en juist op het goede moment komt die tekst weer naar boven.'

'Het goede moment, zeg dat wel', zegt Bianca.

'Dit is heel bijzonder', zegt Annelies. 'Gert hoort een Bijbeltekst. Het kan niet anders of het is de stem van God geweest, die tegen je sprak.'

Gert haalt zijn schouders op en zegt: 'Ik weet het ook niet.'

'Gert, het kan echt niet anders. God heeft je gewaarschuwd en je de weg gewezen naar het geloof. Je moet met al je ellende naar de Heere Jezus toe gaan. Iedereen die tot Hem komt, helpt Hij. Of ben je nog niet zo ver?'

'Ik weet niet hoe ver ik ben. Zullen we het ergens anders over hebben?', vraagt Gert. 'Ik hoef toch niet alles te vertellen?'

'Het kan wel heel goed voor je zijn', zegt Annelies. 'Mensen knappen juist op als ze hun slechtheid vertellen bij de psychiater, bij een hulpverlener of bij God. Belijden van zonden is wezenlijk in het christelijk geloof.'

'Zo ver ben ik nog niet', zegt Gert.

'Stel het niet uit.'

'Bianca heeft een heel slechte opvoeding gehad, en ze is steeds beter geworden.'

'Maar ook zij heeft vergeving van zonden door het bloed van Christus nodig', zegt Annelies.

'Ik begrijp er niets van', zegt Bianca. 'Moet je je voorstellen, een vent die rustig tien pilsjes op een avond kan drinken en dan nog recht op zijn benen staat, zit geveld op de stoep door een stem. Het is een hele sensatie. Ik heb een moeilijke opvoeding gehad en heb met vallen en opstaan een eigen weg gevonden, een weg van een hoog moreel niveau, want ik ben er vast van overtuigd dat zelfdiscipline in deze verworden wereld nodig is, maar me nu een-twee-drie tot het christendom bekeren lijkt me een brug te ver.'

'Bianca, je weet niet wat je mist', zegt Annelies.

Dan valt er een pijnlijke stilte en zegt niemand meer iets.

Annelies is de eerste die de stilte verbreekt door 'Sorry' te zeggen.

'Gelukkig dat je dat zegt. Ik was in staat om op te stappen', zegt Bianca. 'Onthoud goed dat jullie recht op je eigen leven hebben, maar dat ik ook recht op mijn eigen leven heb. Ik heb het allemaal zelf moeten uitzoeken in mijn leven, en dat zal ik ook wel verder doen. Als ik het nodig vind de Bijbel te bestuderen, doe ik dat, maar ik laat me niet de wet voorschrijven, door niemand.'

'Zal ik nog iets inschenken?', vraagt Peter. 'Jij pils, Gert?'

'Nee, dank je. Ik moet rijden. Geef maar cola.'

'Jij nog pils, Bianca?'

'Alsjeblieft.'

Daarna loopt Peter naar de keuken om voor iedereen drinken in te schenken.

Op de terugweg is het de eerste vijf minuten stil. Dan begint Bianca: 'Zullen we zo dadelijk weer stoppen bij het tankstation waar we de vorige keer ook gestopt zijn?'

'Dat lijkt me een heel goed idee', zegt Gert, terwijl hij naar haar kijkt. Zij legt haar linkerhand voorzichtig tegen zijn wang, en Gert kijkt haar aan. Hij ziet de liefde voor hem in haar ogen en ineens beseft hij dat hij een boffer is. Hij heeft het getroffen met zo'n lief meisje. Als hij eerlijk is, moet hij erkennen dat hij er in het leven niet veel van terechtgebracht heeft en dat hij de liefde van Bianca niet verdiend heeft. Hij weet niet hoe het verder zal gaan, maar hij weet wel dat hij het samen met Bianca aandurft. Terwijl hij vaart mindert om naar de parkeerplaats te gaan, haalt hij zijn rechterhand van het stuur en streelt ermee over haar wang.

Wanneer ze uit de auto gestapt zijn, lopen ze vanzelf naar de plaats waar ze de vorige keer gestaan hebben. Er is weer toekomst voor Gert.

Epiloog

Annelies en Peter hebben een zoon gekregen, die ze Christian genoemd hebben, naar de vader van Peter. Gert en Bianca zijn aanwezig geweest bij de doopdienst, drie weken na de geboorte. Het was voor Gert een bijzondere gewaarwording weer als vanouds in de kerk te zijn en op zijn oude vertrouwde plek te zitten. Hij was al die tijd dat hij het huis uit was, niet meer naar de kerk geweest. Hij keek om zich heen en zag de vertrouwde gezichten van vroeger: de boeren uit de buurt, onder wie De Rooij en zijn vrouw, en de jongens en meiden met wie hij vroeger omging en die verrast opkeken toen ze hem weer zagen. Daarna keek hij naast zich en zag Bianca zitten, die verwonderd rond zat te kijken naar een wereld die zij niet kende.

Gert vroeg zich af of hij zich hier ooit weer thuis zou kunnen voelen, en hoe Bianca het zou vinden. Toen keek ze naar hem, en wist Gert dat hij het samen met Bianca zou redden in zijn leven.